Le Défilé des mirages

Johanne Seymour

Le Défilé des mirages

Libre Expression

Une compagnie de Quebecor Media

Catalogage avant publication de Bibliothèque et Archives nationales du Québec et Bibliothèque et Archives Canada

Seymour, Johanne

Le défilé des mirages
ISBN 978-2-7648-0404-9
I. Titre.

PS8637.E97D43 2008   C843'.6   C2008-941628-7
PS9637.E97D43 2008

Édition : MONIQUE H. MESSIER
Correction d'épreuves : ANIK CHARBONNEAU
Couverture : CHANTAL BOYER
Mise en pages : HAMID AITTOUARES
Photo de l'auteure : ROBERT ETCHEVERRY

Cet ouvrage est une œuvre de fiction ; toute ressemblance avec des personnes ou des faits réels n'est que pure coïncidence.

Remerciements
Les Éditions Libre Expression reconnaissent l'aide financière du gouvernement du Canada par l'entremise du Programme d'aide au développement de l'industrie de l'édition (PADIÉ) pour ses activités d'édition. Nous remercions le Conseil des Arts du Canada et la Société de développement des entreprises culturelles du Québec (SODEC) du soutien accordé à notre programme de publication. Gouvernement du Québec – Programme de crédit d'impôt pour l'édition de livres – gestion SODEC.

Les Éditions Libre Expression
Groupe Librex inc.
Une compagnie de Quebecor Media
La Tourelle
1055, boul. René-Lévesque Est
Bureau 800
Montréal (Québec) H2L 4S5
Tél.: 514 849-5259
Téléc.: 514 849-1388

Dépôt légal – Bibliothèque et Archives nationales du Québec
et Bibliothèque et Archives Canada, 2008

ISBN 978-2-7648-0404-9

Distribution au Canada
Messageries ADP
2315, rue de la Province
Longueuil (Québec) J4G 1G4
Téléphone : 450 640-1234
Sans frais : 1 800 771-3022

Diffusion hors Canada
Interforum

Pour Linda et Jonathan

« Lorsqu'on n'a pas de vie véritable,
on la remplace par des mirages. »
Anton Tchekhov

Elle l'idolâtrait.

Et si jamais une femme avait aimé son fils au prix de sa propre vie, c'était elle.

Il fallait l'entendre raconter à quel point son ange, son enfant chéri, avait été précoce. Combien il avait, dès le plus jeune âge, démontré une intelligence au-dessus de la moyenne. Combien ses mots d'enfant l'avaient fait sourire, ses observations mourir de rire et ses cajoleries fondre de plaisir. Il fallait l'avoir vue rosir à son nom et rougir à son appel pour saisir l'infinité de son amour pour lui. Un amour dénaturé, jugeaient ceux qui la croisaient. Un amour explicable, tranchaient ceux qui la connaissaient vraiment.

À l'exception de son fils, cette femme n'avait connu que deux hommes dans sa vie.

D'abord un père austère, qui régentait la maison tout entière, obligeant sa femme, dès l'aube, à faire bouillir l'eau qui servirait à infuser son thé en fin de journée. Une demande bête, à l'image de l'homme, puisque cette eau finissait par s'évaporer et que sa pauvre épouse devait passer sa journée à remplir la bouilloire.

Puis il y avait eu son mari. Celui qui allait engendrer son fils adoré. Une grosse chiffe molle, ambitieuse au-delà de ses capacités et intrinsèquement misogyne. Un homme qui avait la désagréable particularité de couiner comme un porcelet qu'on égorge lorsqu'il donnait libre cours à ses flambées colériques. Une bête vicieuse dont les fantasmes sexuels auraient rebuté la plus aguerrie des prostituées.

11

Comment, en sachant cela, ne pas comprendre l'adoration qu'elle vouait à son fils ? Un être sensible, délicat, presque efféminé...

Ce matin-là, elle finissait de repasser les chemises de son fils, une joie qu'elle se faisait encore même s'il n'habitait plus le nid familial, et elle réfléchissait aux courses qu'elle aurait à faire en revenant du travail si elle voulait lui cuisiner les petits plats dont il raffolait. Tout en s'assurant qu'il n'y avait aucun pli dans le col qu'elle venait d'empeser, elle revoyait mentalement la liste des ingrédients dont elle aurait besoin. Petits pois, saumon, œufs...

Elle avait presque terminé quand la sonnette de la porte d'entrée s'était fait entendre. Regardant aussitôt la vieille horloge au mur du salon où elle avait l'habitude de repasser, elle avait froncé les sourcils. Sept heures... Qui pouvait bien sonner chez elle d'aussi bonne heure ?

En ouvrant la porte du petit bungalow qu'elle habitait avec son béluga de mari, la femme avait été surprise de trouver deux agents de police. « Que puis-je faire pour vous ? » avait-elle demandé poliment.

Les deux agents avaient hésité avant de parler. Oh, une fraction de seconde tout au plus, mais elle avait su. Immédiatement, irrémédiablement. Quelque chose de grave venait d'arriver à son fils.

C'est en hochant mécaniquement la tête qu'elle avait écouté le compte rendu de la mort de son fils adoré. Puis, c'est sans sourciller qu'elle avait remercié les agents pour leur sollicitude, et refermé la porte.

Ce n'est qu'une fois à l'intérieur, à l'abri des regards étrangers, qu'elle avait laissé s'épancher sa douleur. Pleurant toutes les larmes de son corps, invectivant tous les saints... et maudissant le jour qui avait vu naître le meurtrier de son fils.

Elle avait laissé libre cours à sa rage jusque tard dans la nuit. Puis elle s'était apaisée.

Quand l'idée de vengeance était venue remplacer sa colère.

1

Affalée sur une chaise Adirondack au bord du lac en contrebas de son chalet, Kate McDougall, les yeux fermés, le visage offert aux premiers rayons du soleil printanier, réfléchissait à l'avant-midi merdique qui l'attendait.

Kate n'avait pas compris, il y a dix-huit mois, qu'en acceptant le poste de lieutenant responsable du territoire sud-est de l'Escouade des crimes violents, elle acceptait aussi d'être ce qu'elle avait depuis baptisé le « clown de service » de la Sûreté du Québec.

L'inspecteur Paul Trudel, responsable des quatre divisions de l'ECV, n'était bien sûr pas de son avis. L'ECV avait été créée pour parer à l'escalade de la violence et, selon Trudel, le public devait être tenu au courant de ses mérites. Elle avait donc l'obligation de considérer les conférences de presse trimestrielles comme faisant partie des efforts de la SQ pour renforcer le sentiment de sécurité des citoyens du Québec. « *Bullshit !* » rétorquait Kate invariablement à cet argument. La SQ se sert de l'Escouade pour se faire du capital politique. Un point, c'est tout.

Au fond, Kate devait bien l'admettre, l'Escouade des crimes violents était le meilleur coup de la SQ depuis la création de Carcajou[1]. En formant l'Escouade, la SQ avait considérablement augmenté son taux de résolution des enquêtes confiées au Bureau des crimes contre la personne. Et la raison en était simple...

En regroupant au sein d'une même escouade les enquêteurs qui, au cours des années, s'étaient distingués dans les enquêtes sur les meurtres à caractère sexuel, religieux et racial sans liens avec le monde interlope et les drames familiaux usuels, la SQ avait simplement augmenté son potentiel à résoudre ces dossiers. Des dossiers qui autrefois auraient fait exception, mais qui aujourd'hui, malheureusement, étaient monnaie courante. Le Québec n'échappant ni au boom démographique ni à la mouvance des peuples, le choc des cultures et la perte d'identité étaient désormais les détonateurs d'une nouvelle violence. Celle de l'humain fragmenté. Vivant sans repères terrestres ni moraux.

Accablée par ses pensées, Kate avait poussé un profond soupir.

Quoiqu'elle soit née sous le signe de la violence, elle avait quand même choisi de vivre en sa compagnie. Rien de surprenant cependant. Cette violence qui la révulsait était devenue le moteur de son existence. En la combattant, elle avait trouvé le moyen de justifier sa vie. Une vie qui aurait dû s'arrêter il y a plus de trente ans. Quand son père avait égorgé sa mère et son jeune frère sous ses yeux.

Je suis fatiguée, s'avouait maintenant Kate en regardant les vaguelettes frapper sans relâche les piliers du quai. Je suis fatiguée de me battre.

Kate n'était pas dupe. Elle avait senti ce moment venir depuis longtemps. Le problème, c'est qu'elle n'avait jamais su vivre en dehors des conflits. Elle avait toujours foncé la tête la première, attaquant avant d'être attaquée, avant

---

1. Escouade de lutte contre le crime organisé.

que sa vulnérabilité ne fût exposée au grand jour. Cela avait pris plus d'un an à Marquise Létourneau, la psychiatre de la SQ, pour venir à bout de la carapace de Kate et pénétrer sa peine. Malgré cela, aujourd'hui Kate évitait autant que possible de la croiser. Cette femme s'était frottée aux ténèbres qui l'habitaient. Comment pouvait-elle la regarder sans se sentir nue ?

Tout de même, Kate lui était reconnaissante. Marquise Létourneau avait réussi un tour de force. Elle lui avait permis de décoder sa vie et de comprendre pourquoi il lui était si difficile d'entrer dans une relation. Pas assez vite cependant pour préserver sa relation amoureuse avec Paul Trudel, qu'elle avait repoussé comme tous les hommes qui avaient cherché à se rapprocher d'elle. Son cœur était sa chasse gardée. Même s'il en allait autrement de son corps…

Kate avait connu une pléiade d'hommes et elle avait depuis longtemps cessé de compter le nombre d'inconnus qui, avec son consentement, l'avaient ravagée. Le sexe était presque devenu une compulsion chez elle. Une façon de se connecter à la vie sans être obligée de la vivre. Son neuroleptique personnel. Quand ce n'était pas l'alcool…

Si je me chamaille continuellement avec Paul, c'est que je ne sais pas comment être autrement avec lui, avait-elle finalement concédé pour elle-même.

Puis comme elle tentait maladroitement de se relever de sa chaise, engoncée dans son uniforme de service, elle avait tout naturellement injurié Paul ; celui qui les obligeait à porter l'uniforme à l'occasion des conférences de presse.

Kate n'était plus habituée à la rigidité de ce costume, elle qui avait fait des jeans, des chemises blanches et des Kanuk son uniforme personnel. C'est pourquoi les mots «clown de service» lui étaient de nouveau passés par la tête alors qu'elle montait l'escalier menant à son chalet pour aller prendre son arme de service.

— McDougall, avait répondu Kate, essoufflée, les pieds à peine dans le chalet, mettant ainsi fin à la sonnerie insistante du téléphone.

— Tu manques d'exercice, Mc Dougall.

Kate avait souri. Le sergent Todd Dawson, un ex-coéquipier à présent membre de son escouade, ne manquait jamais de lui rappeler qu'il était plus jeune qu'elle.

— Tu essaieras de monter trente-trois marches à la course pour répondre au téléphone, avait rétorqué Kate pour la forme.

— Tu passes me prendre ?

Kate avait été surprise.

— Je te croyais déjà à Montréal…

Todd avait toussoté avant de se décider à répondre.

— J'ai finalement couché chez ma femme…

— *I see…* Et tu veux que j'aille te chercher… chez elle ? avait ajouté Kate, qui connaissait l'opinion que la femme de Todd avait d'elle.

— Si tu te dépêches, avait dit Todd gêné, *you'll get here before she comes back from her prayer meeting…*

Kate n'avait rien ajouté. De toute façon, elle n'aurait su que dire.

Malgré les procédures de divorce qu'ils avaient entamées il y a plus d'un an, Todd et sa femme continuaient de se « fréquenter ». Un non-sens pour Kate, qui ne comprenait pas ce qui attirait encore Todd chez cette femme amère, par surcroît religieuse au bord du fanatisme. Ça doit être l'interdit, avait conclu Kate en raccrochant, se souvenant douloureusement à quel point la transgression pouvait être un puissant aphrodisiaque.

À peine avait-elle déposé le combiné que son cellulaire, accroché à sa ceinture, avait carillonné à son tour. Kate avait vérifié la provenance de l'appel. C'était l'inspecteur Trudel.

— Oui, j'ai mis mon uniforme, avait grommelé Kate en répondant.

— Tu peux l'enlever.

Pendant un bref instant, Kate avait imaginé Trudel en train de la dévêtir. Cette image, appartenant au passé, l'avait aussitôt irritée.

— Qu'est-ce qui se passe ? avait-elle demandé, agacée. La conférence de presse est annulée ?

— Non. Mais tes services sont requis ailleurs.

Kate s'était raidie, se préparant au pire, comme toujours.

— Un gros bonnet de ton coin vient d'être retrouvé mort au centre de la Bolton Pass. Une balle en plein cœur. Labonté et Jolicœur sont déjà en route pour la scène…

— En quoi ça concerne l'Escouade ? avait demandé Kate, déroutée.

— Son corps est entouré de branchages…

— Des branchages…, avait répété Kate, interdite.

— Oui… Disposés en forme d'étoiles à cinq branches.

— Ah…

— Et tu n'aimeras pas la suite…

Kate avait attendu avec appréhension.

— Elles sont entourées d'un cercle tracé dans la terre.

Kate avait encaissé le coup avant de parler.

— Des pentacles…

— Exactement.

— *Shit !*

— Comme tu dis, avait ajouté Trudel en raccrochant.

2

De la fenêtre de son bureau, le Dr Diane Pelland avait une vue d'ensemble sur les jardins de Serenity Gardens. Elle pouvait de cette façon, entre ses nombreuses fonctions administratives, surveiller l'évolution d'une partie du programme, car Serenity Gardens, un centre de réinsertion sociale pour les personnes atteintes de maladie mentale, fonctionnait grâce à ses résidents.

Du jardinage à la cuisine, en passant par le ménage, la lessive, et jusqu'à l'entretien du bâtiment et des équipements agricoles, les résidents, sous la supervision de divers responsables, devaient participer au roulement du centre. Les tâches étaient distribuées selon les affinités et les compétences de chacun, mais une fois assignées, elles devaient être exécutées. C'était la règle d'or. Les résidents pouvaient demander de l'aide quand ils se sentaient incapables de réaliser seuls leur travail, mais ils avaient la responsabilité de voir à ce que la tâche soit accomplie.

Une idée du Dr Pelland… Réalisée par le Dr Claude Thérien, le fondateur du centre, et maintenant tête d'affiche en psychiatrie. Si l'on se fiait à la première page de *L'actualité*.

Quand la psychiatre avait aperçu la revue du mois dernier qui traînait encore sur son bureau, une vague de ressentiment avait traversé ses yeux gris-vert. Irritée, elle avait fait un geste brusque et malencontreusement renversé son café, aspergeant au passage le dossier de demande de subventions sur lequel elle peinait depuis une semaine. « Merde ! » s'était-elle exclamée, encore plus agacée, sachant qu'elle devrait reprendre son travail depuis le début si elle ne parvenait pas à éponger le dégât rapidement. Puis elle s'était élancée dans le couloir à la recherche d'un chiffon ou d'un papier absorbant.

— Qu'est-ce qui se passe ? avait demandé Mary Pettigrew qui, à cet instant, sortait également de son bureau.

— J'ai renversé mon café sur mes dossiers et…

— Aucun problème, l'avait aussitôt coupée Mary. J'ai ce qu'il faut.

Sans plus attendre, elle s'était précipitée dans le bureau et avait, sous les yeux arrondis de Diane Pelland, sorti de ses manches roulées une quantité impressionnante de mouchoirs en papier avec lesquels elle s'était empressée d'éponger les documents.

— Voilà ! avait dit Mary, une fois le travail terminé. Sauvée des eaux… Comme Moïse !

Le Dr Pelland l'avait remerciée et Mary Pettigrew avait quitté son bureau, l'air préoccupé comme toujours.

Maintenant seule, Diane Pelland ne pouvait s'empêcher de sourire à la remarque de Mary.

« Sauvée des eaux… Comme Moïse ! »

Mary Pettigrew passait son temps à citer la Bible. Il semblait que toutes ses expériences de vie, sans exception, avaient leur équivalent biblique. Pour elle, la Bible était le Livre des livres, la référence ultime. Elle lui servait de livre de chevet, de *coach*… et probablement de carte routière, songeait maintenant Diane Pelland avec dérision en la regardant par la fenêtre qui s'engageait dans les sentiers tracés dans les bois, à l'arrière du centre.

Dans ce décor de campagne, Mary avait tout simplement l'air ridicule, avec sa blouse de nylon rose et ses pantalons gris à plis. Une vraie sœur défroquée, avait souvent pensé Diane Pelland. Mais au fond, elle s'en fichait. Mary Pettigrew était la meilleure comptable du coin. Et elle n'allait pas se priver de ses services parce qu'elle citait la Bible et s'habillait dans les ventes de garage.

3

Il l'avait échappé belle. Il savait qu'elle ne serait pas fière de lui, mais cela lui importait peu en cet instant. Il avait la satisfaction de la tâche accomplie. Et ce sentiment était nouveau pour lui.

Son existence jusqu'ici avait été une longue suite de déceptions ; la malchance, comme un ver solitaire, avait élu domicile dans sa vie. Elle avait bouffé tous les bonheurs qui passaient avant qu'il ne puisse les goûter. Et il s'était appauvri chaque jour davantage. Émotionnellement et financièrement. Jusqu'à ne plus avoir la force de combattre.

C'est du moins l'excuse qu'il se donnait. La vérité était cependant tout autre.

Le drame, c'est qu'il n'était pas très futé, mais il avait de grandes ambitions. Et un orgueil démesuré. Une combinaison caustique.

Aucun travail qu'il aurait été en mesure d'accomplir n'était digne de lui. Et il se voyait systématiquement refuser tout emploi qu'il convoitait.

Son sens déformé de la réalité l'avait naturellement conduit à se considérer comme une victime du système. Duquel, d'ailleurs, il avait amplement profité, s'inscrivant au BS, le programme gouvernemental d'assistance sociale, dès l'âge de vingt-cinq ans.

Cela faisait maintenant trente années.

La pensée de célébrer cet anniversaire lui avait traversé l'esprit la veille en vidant sa caisse de bières. Il était même allé jusqu'à rire tout haut à l'idée qu'on allait peut-être, comme dans les grandes compagnies, lui offrir un stylo en or ou une montre-bracelet. Mais elle l'avait tout de suite remis à sa place. Il était temps, l'avait-elle sermonné, qu'il retrouve sa dignité. Qu'il reprenne ce qu'on lui avait volé.

Il avait pleuré.

Personne avant elle ne s'était autant soucié de lui. Personne n'était jamais parvenu à le comprendre. Mais elle…

C'était à la banque qu'ils s'étaient croisés la première fois. Elle l'avait aidé avec les maudites machines qui avaient remplacé les caissières… Une autre infamie du système. La veille, il avait eu une mauvaise journée, et il était encore ivre de sa virée dans les bars locaux. Normalement, il aurait attendu de se sentir mieux pour aller encaisser son chèque, mais voilà, il ne lui restait plus un sou, son réfrigérateur était complètement vide et la compagnie d'électricité menaçait de lui couper le courant. Un gros inconvénient, car c'était en hiver.

Elle avait bien vu qu'il ne s'en sortirait pas ; le guichet automatique lui rendant sa carte pour la nième fois. Elle s'était alors tout naturellement proposé de l'aider.

Il avait été surpris. Habituellement, sa présence répugnait les gens. Mais elle n'avait pas hésité une seconde à lui venir en aide et n'avait pas eu de geste de recul quand elle avait été assez près pour sentir le parfum nauséabond de son corps. Elle lui avait souri et l'avait simplement aidé. Sans jugement.

Ils s'étaient croisés par la suite sur les trottoirs, à la caisse du supermarché, à la pharmacie… et toujours elle avait montré la même sollicitude. Ils avaient d'abord échangé des « bonjour », puis leurs conversations avaient commencé tranquillement à s'allonger. Un jour, il l'avait invitée à prendre le café chez lui, et elle avait accepté.

Une autre preuve des qualités incroyables de cette femme...

Il habitait un peu à l'écart du village dans une petite maison de bois délabrée ayant toujours appartenu à sa famille. La maisonnette, autrefois modeste mais charmante, n'était plus qu'un taudis, n'ayant pas été entretenue depuis la mort du père, quelque quinze ans plus tôt. Le froid entrait maintenant de partout et la moisissure, qui avait élu domicile sur la moitié des murs, rendait l'air irrespirable. La femme n'avait néanmoins eu aucune réaction en y pénétrant. Elle lui avait simplement remis une assiette de biscuits maison et lui avait demandé si elle pouvait l'aider à préparer le café. Il s'en souvenait comme si c'était hier.

Tranquillement, en sirotant la boisson qu'elle avait finalement préparée seule, il lui avait raconté sa vie. Et c'est là qu'elle lui avait fait comprendre qu'on l'avait dépouillé de son héritage.

Et que c'était son droit le plus absolu de se venger.

4

Quand il avait été question de compléter son équipe, Kate avait choisi les sergents Dawson, Labonté et Jolicœur, avec qui elle avait formé un quatuor qui avait, par le passé, fait largement ses preuves.

Il avait également été décidé que Kate, qui vivait à Perkins, et Todd, qui s'y cherchait un appartement, assureraient la permanence au poste de Brome-Perkins, pendant que Labonté et Jolicœur, qui allaient continuer d'habiter l'île de Montréal, serviraient de liaison avec le bureau de Montréal et le Laboratoire de sciences judiciaires et médecine légale.

La formule s'était avérée gagnante.

Depuis la création de leur unité, l'équipe avait réussi à boucler presque toutes ses enquêtes. Jusqu'au tristement célèbre dossier de l'étudiante en médecine qui pratiquait ses dissections sur des sujets vivants.

— Qu'est-ce qu'on sait ? demandait maintenant Kate, penchée sur le cadavre.

— *Are you kidding ?* avait rétorqué Todd, encore médusé par ce qu'il voyait.

Kate avait quitté la victime du regard et observait son équipe. Plantés comme des pions autour du corps, les enquêteurs, les yeux ronds comme des billes, enregistraient mentalement l'étrangeté de la scène.

— *Never a dull moment*, avait finalement commenté Todd en direction de Kate.

Kate devait bien l'avouer. La vue du cadavre entouré de pentacles était saisissante. D'autant plus qu'il était situé au beau milieu d'un champ, en plein centre du défilé de Bolton, une gorge engoncée entre deux sommets rocheux aux pentes abruptes.

Kate avait de nouveau regardé la victime.

L'homme était étendu sur le dos, les yeux grand ouverts.

— Intéressant…, avait-elle dit en observant la surprise qu'on pouvait encore lire sur son visage.

— Il a été pris de court, c'est évident, avait lancé Jolicœur qui avait délaissé les pentacles pour s'intéresser au cadavre.

— Peut-être qu'il connaissait son agresseur et a été surpris de le voir là, avait avancé Labonté, à son tour.

Kate avait hoché la tête de droite à gauche.

— Ou peut-être que notre homme s'attendait à voir quelqu'un… et quelqu'un d'autre s'est présenté.

Toujours penchée sur le cadavre, de sa main gantée de latex, Kate avait effleuré le sol autour du corps, là où le sang s'était répandu.

— Le sang n'est pas sec…, avait-elle constaté.

— Les techniciens du Labo m'ont dit que la mort remonte probablement à moins de deux heures, l'avait informée Todd.

D'un doigt expert, Kate avait entrouvert le col de la chemise de la victime pour jeter un œil sur son torse ; les pans de son imperméable étant déjà rabattus.

— À part le point d'entrée du projectile, notre homme ne semble pas avoir d'autre marque sur la poitrine.

— Les mutilations se limitent donc à son front, avait dit Todd, les yeux rivés sur le pentacle que le tueur avait gravé sur la victime.

— Il n'y a pas de sang autour de la plaie…, avait ajouté Kate, maintenant intéressée par le symbole, tailladé à mi-chemin entre les arcades sourcilières. Lacérations post mortem…

— Il est inversé, avait laissé tomber Jolicœur.

Kate l'avait interrogé du regard.

— C'est un pentacle inversé. Dans un pentagramme, la cinquième branche, celle en haut de l'étoile, représenterait une forme quelconque de spiritualité. L'esprit, l'âme… Le cinquième élément. Quand cet élément est tourné vers le bas, donc quand l'étoile est inversée, il représente le diable, ou le mal… Si je me fie à ce que j'ai lu sur le sujet, avait-il ajouté, gêné de son savoir.

Kate n'avait pas été surprise par les connaissances de Jolicœur. Elle avait depuis longtemps compris que sous ses airs de vieux garçon renfrogné se cachait un homme curieux et ouvert au monde.

— Un vrai rat de bibliothèque, l'avait taquiné Labonté.

— C'est mieux que d'être un rat tout court, avait rétorqué Jolicœur, agacé.

— Bon, bon, était intervenue Kate. Revenons à nos moutons !

Puis elle s'était redressée avec effort.

— Vive la jeunesse, avait-elle marmonné avant de se concentrer à nouveau sur la victime. Qui l'a découvert ?

Jolicœur avait sorti son calepin.

— Robert Lanthier, quarante-cinq ans, de Montréal.

— Qu'est-ce qu'il faisait ici ?

— *Hicking*…, lui avait répondu Todd. Il a l'habitude de prendre ses vendredis pour faire de la marche en montagne. Aujourd'hui, il avait choisi la Bolton Pass.

— Pas chanceux…, avait noté Labonté.

— Je te gage qu'il va changer ses habitudes, avait lancé Jolicœur en riant.

Le photographe de l'Identité judiciaire du QG de Sherbrooke, un colosse d'un mètre quatre-vingt-dix, dont les pattes d'ours protégeaient une minuscule caméra, avait choisi ce moment pour s'approcher d'eux.

— Je les prends tous ? avait-il demandé en indiquant les pentacles.

Kate avait consulté son équipe du regard. Personne ne semblait avoir d'opinion.

— Photographie tous ceux qui sont directement autour du corps, avait-elle fini par dire. Après tu en choisiras au hasard… Et tu me prends tous ceux qui forment le périmètre du cercle, avait-elle ajouté comme il s'éloignait.

— J'achète le *pop-corn*, avait marmonné Jolicœur en pensant à l'interminable séance de scrutation de photos qui les attendait.

Kate s'était détachée lentement du groupe en observant le sol à ses pieds. Une ancienne prairie qui n'a probablement jamais servi de pâturage, avait-elle songé. Le sol est rocailleux et la végétation presque absente… Par endroits, on pouvait effectivement deviner le roc sous la mince couche de terre sablonneuse.

Kate avait levé les yeux et scruté les montagnes de chaque côté du défilé. La forêt qui en recouvrait les flancs s'arrêtait brusquement à une cinquantaine de mètres du champ pour laisser place à des crêtes de roc.

— La plaque rocheuse doit parcourir tout le fond de la vallée, avait constaté Kate à voix haute.

— Conclusion ? l'avait interrompue Todd en s'approchant d'elle.

— Le lieu n'a vraisemblablement pas été choisi au hasard. Soit le tueur a fait des recherches… soit il connaissait déjà l'endroit. Il lui fallait ce genre de sol pour tracer les cercles autour des pentacles. Une terre aride où la végétation est presque absente.

— Le crime aurait déterminé son emplacement, avait alors déduit Todd.

— On dirait… On peut aussi dire presque avec certitude que le tueur a donné rendez-vous à la victime.

— À moins que l'homme ait eu l'habitude de venir ici tôt le matin…

Kate avait acquiescé en silence et avait ajouté au bout d'un moment :

— Chose certaine, il ne s'est pas retrouvé ici par hasard.

Puis, en compagnie du sergent, elle avait repris son exploration de la scène.

— Qu'est-ce qu'on sait sur le mort ? avait-elle demandé.

— Un psychiatre, avait répondu Todd. Le Dr Claude Thérien…

— Attends un peu… Le Dr Thérien, celui qui a ouvert Serenity Gardens ? Le centre où réside ta mère ?

— Exact.

— *Shit !*

Kate s'était massé le front. Mais ce geste, qui lui rappelait les proverbiales migraines de Paul Trudel, n'avait pas eu l'heur de la réconforter. Elle avait fourré les mains dans les poches de son manteau.

— Linda ! avait-elle crié à l'intention d'une technicienne qui passait devant eux. Vous avez trouvé quelque chose ?

En s'approchant, la jeune femme avait balancé au bout de ses bras une pochette de plastique.

— Une chique de tabac, avait-elle précisé en tendant le sac à Kate, à moins de dix centimètres du corps.

— Merci, avait dit Kate qui, après l'avoir examiné, lui avait rendu l'objet. Si on avait un suspect, ça pourrait servir à prouver sa présence sur les lieux. À moins que la chique appartienne à la victime…

— On va comparer les deux signatures génétiques, l'avait informée la technicienne. On verra bien.

— Et les empreintes de pas ?

La jeune fille, en réfléchissant, avait balancé la tête comme ces poupées dont la tête pivote au moindre mouvement.

— Trop nombreuses, trop brouillonnes pour prouver quoi que ce soit. Depuis la fonte des neiges, plusieurs marcheurs ont déjà emprunté ce champ pour accéder aux sentiers pédestres tracés dans la montagne. Autre chose ? avait-elle demandé, pressée de retourner à sa cueillette d'indices.

— Non…, avait répondu Kate en laissant échapper un long soupir.

Puis elle avait rebroussé chemin en compagnie de Todd.

— Vous avez des hypothèses ? avait-elle lancé à Labonté et à Jolicœur en revenant auprès d'eux.

Les deux hommes s'étaient consultés du regard.

— À part celle où notre homme serait la victime d'un rituel satanique ou le martyr consentant d'une secte « fuckée » ? avait finalement demandé Jolicœur avec sarcasme.

Le silence qui avait suivi était éloquent.

Comme l'avait fait remarquer Jolicœur, le pentacle sur le front de la victime était effectivement inversé.

— *Could be a cult…*, avait finalement dit Todd à contrecœur.

Kate avait hoché la tête, enregistrant mentalement la scène.

— Les pentacles… la position du corps… la mutilation frontale… Oui, avait-elle admis finalement, tout ça nous laisse croire à un rituel.

Kate avait soupiré de nouveau. L'affaire de l'Église des pénitents et du pasteur Jérémie était encore fraîche à sa mémoire.

— On n'a plus rien à faire ici, avait-elle conclu au bout d'un moment tout en se dirigeant vers son véhicule de service, encourageant le reste de son équipe à faire de même. On se rejoint au poste.

Labonté et Jolicœur avaient obtempéré et étaient partis vers leur propre voiture, tandis que Todd avait suivi Kate.

— Je sais, avait dit Todd, s'enfournant dans le siège passager et observant Kate perdue dans ses pensées. On pourrait avoir affaire à un autre pasteur Jérémie.

Pendant quelques secondes, la phrase avait résonné dans l'habitacle comme une vérité.

Could also be your wife ! avait ensuite pensé Kate, mi-figue mi-raisin, en faisant démarrer la voiture et en accélérant en direction du poste de Brome-Perkins.

5

Bâti dans les années soixante, le poste de Brome-Perkins était un petit bâtiment rectangulaire de deux étages, à l'architecture sans génie. Avec son revêtement de tôle cannelée bleue, on pouvait facilement croire qu'il avait été construit à l'aide de deux conteneurs à déchets, posés l'un sur l'autre et percés de minuscules fenêtres.

Les différents services y étant déjà trop à l'étroit, quand il avait été question d'installer la division sud-est de l'ECV au poste de Brome-Perkins, la SQ avait consenti sans rechigner à l'agrandissement des lieux. Et l'on avait tout naturellement ajouté, perpendiculairement au rectangle du rez-de-chaussée, un nouveau conteneur.

— *Home sweet home*, avait marmonné Todd avec sarcasme en poussant la porte d'entrée menant à leur division.

En pénétrant dans l'enceinte, Kate avait eu la mauvaise surprise de découvrir que son territoire avait été envahi. L'inspecteur Paul Trudel, qui était venu de Montréal après la conférence de presse, était confortablement installé dans la salle de réunion. Moins d'une minute après avoir sommairement expliqué à Kate qu'il était là pour faire l'évaluation de leur unité, ils s'étaient retrouvés à l'écart de l'équipe, en conciliabule.

— On a besoin d'une laisse maintenant? avait demandé Kate, irritée et imperméable aux explications de Trudel.

Trudel, qui connaissait le tempérament enflammé de Kate, ne s'était pas formalisé outre mesure de son impertinence. Le fait cependant qu'il était encore troublé par sa beauté tourmentée l'importunait davantage.

— Kate, avait-il commencé avec fermeté pour chasser ses fantasmes, il s'agit seulement d'une évaluation. L'administration a besoin de savoir comment est dépensé l'argent que...

— Nos pourcentages de résolution d'enquête parlent par eux-mêmes, l'avait coupé Kate.

— Kate...

— Je n'en ai rien à foutre de l'administration.

— Bordel, Kate! s'était exclamé Paul, maintenant agacé. Il m'a fallu des mois pour mettre l'Escouade sur pied! Si, pour satisfaire aux exigences de l'administration et assurer la survie de l'ECV, je dois procéder à l'évaluation du fonctionnement des divisions, je vais le faire.

Kate avait observé Paul en silence, puis le regardant droit dans les yeux, lui avait dit:

— Tu crois réellement que ces évaluations vont servir à garder l'Escouade en vie?

Trudel avait froncé les sourcils.

— Tu ne penses pas plutôt qu'ils cherchent une raison pour y mettre fin?

Trudel avait lentement secoué la tête et contemplé Kate avec tristesse.

— Pourquoi faut-il, Kate, que tu ne voies que la face cachée de la lune?

Kate était restée muette. Il n'y avait pas que Marquise Létourneau qui savait lire en elle.

— Tu juges des intentions des autres sans connaître les faits qui les ont motivées.

— Tu n'avais qu'à me les expliquer, ces faits, avant de te pointer sans avertissement au poste, avait-elle répondu sur la défensive.

Trudel avait soupiré lourdement, hésitant à s'engager sur une voie dont il connaissait à l'avance le danger.

— Kate, avait-il enfin commencé, c'est trop dur pour moi. Je ne peux pas changer de chapeau selon tes humeurs.

— Je ne te demande rien…

— Je sais. Mais c'est dans ta nature… de ne pas compartimenter ta vie. Moi, je ne peux pas être tout à la fois. Ton ex, ton supérieur, ton confident…

— Comme tous les hommes, avait rétorqué Kate, le regrettant aussitôt.

Trudel l'avait regardée durement.

— L'évaluation n'est pas une option, lieutenant, avait-il dit en se coiffant résolument de son chapeau de supérieur. Et ma participation à l'enquête, non plus.

Kate l'avait fixé en silence.

— Une autre réalité avec laquelle nous devrons, tous les deux, apprendre à négocier, avait-il ajouté froidement avant de quitter le bureau où ils s'étaient réfugiés pour aller rejoindre le reste de l'équipe qui les attendait pour le *briefing*.

6

Les premières secondes suivant leur retour dans la salle de réunion avaient été étrangement silencieuses. Mais Kate s'était finalement ressaisie et avait passé, sans broncher, la parole à Trudel.

— En résumé, terminait maintenant Trudel, qui venait de leur expliquer en détail la façon dont il entendait procéder à l'évaluation de leur travail, je dois donc vérifier l'efficacité de chacun et la manière dont vous dépensez le budget mis à votre disposition. Comme la meilleure méthode est de vous suivre dans une enquête... me voilà ! Vous n'avez qu'à me considérer comme un membre de l'équipe. Vous ne vous rendrez même pas compte que je fais une évaluation.

— Ça, ça reste à déterminer, avait marmonné Kate entre les dents.

Trudel lui avait jeté un regard oblique, sans toutefois relever son intervention.

— Lieutenant McDougall, avait-il plutôt dit, avec autorité. À vous de commencer le compte rendu... pour donner l'exemple, avait-il ajouté sans sourciller, plantant ses yeux dans les siens.

Malgré sa colère, Kate n'avait eu d'autre choix que d'obtempérer, et elle avait ouvert le bal en faisant une description succincte de la scène du crime. Les pentacles, la mutilation du front, la balle au cœur...

— La victime, terminait-elle maintenant, avait encore ses papiers d'identité et ses cartes de crédit.

— Il semble que le tueur n'était pas dérangé à l'idée que nous apprenions rapidement l'identité de la victime, avait réfléchi Trudel à voix haute.

— Ni qu'on la retrouve, avait ajouté Kate, faisant référence à la situation à découvert de la scène.

— Il n'y aurait donc pas de lien évident entre le tueur et la victime...

— On peut en tout cas présumer que le meurtrier n'est pas dans le cercle rapproché de la victime, avait complété Kate. Sinon il aurait sûrement cherché à camoufler son identité.

Trudel avait souri. C'était plus fort que lui. Il retrouvait le plaisir de travailler avec Kate. Et Kate, à sa propre surprise, avait répondu à son sourire.

— Il s'agit du Dr Claude Thérien, avait-elle rapidement enchaîné pour couper court, cinquante-cinq ans, psychiatre reconnu et fondateur de Serenity Gardens, un centre de réinsertion sociale pour les victimes de maladies mentales.

— Un homme respecté, avait commenté Trudel.

— Au sein de sa profession, sûrement, avait renchéri Todd, mais au sein de la population de Perkins... Cela reste à prouver.

Surpris par la remarque, Trudel l'avait interrogé du regard.

— C'est la schizophrénie de son père, Arthur Thérien, un natif de l'endroit, lui avait expliqué Todd, qui a motivé le Dr Thérien à choisir le village de Perkins pour ouvrir son centre. Il voulait de toute évidence que son vieux père profite de l'endroit, mais son choix reposait également sur le fait que le centre répondait à un besoin pressant dans la région. Pourtant, il n'a pas fait l'unanimité. Certaines personnes sont montées aux barricades pour en empêcher la construction.

— Personne ne veut d'un fou dans sa cour, avait murmuré Trudel.

— *Right*, avait ajouté Todd dont, c'était connu de l'équipe, la mère était schizophrène.

Kate avait écouté l'échange entre Todd et Trudel en se demandant si ce dernier, qui avait toujours habité dans une grande ville, comprenait à quel point les habitants d'une petite communauté comme Perkins, qui vivaient en vase clos, le nez perpétuellement collé dans la fenêtre du voisin, pouvaient être « dérangés » par un tel projet.

— Et l'histoire des pentacles ? avait demandé Trudel, prenant enfin le taureau par les cornes.

— Vraisemblablement la mise en scène d'un rituel, avait dit Jolicœur.

— Victime consentante ou martyr… Les paris sont ouverts, avait ajouté Todd. Toutefois, la surprise qui se lisait sur le visage de l'homme nous laisse croire qu'il n'était peut-être pas au courant…

En marchant de long en large, comme à son habitude, Trudel analysait les informations qu'il venait de recevoir.

— Serait-il possible d'imaginer un lien entre les opposants au centre et l'histoire des pentacles ? avait-il finalement demandé.

— La mort du docteur ne change rien au fonctionnement de Serenity Gardens, avait répondu Todd. Le psychiatre a créé une fondation et c'est celle-ci qui dirige les destinées du centre. Et puis ce n'est pas comme si l'édifice n'était pas encore construit… Le centre a déjà un an.

— Quelqu'un qui voudrait prouver que l'existence du centre est dangereuse pour la population, était intervenu Labonté, pourrait très bien avoir créé cette mise en scène.

— Qui servirait à quoi ? avait demandé Jolicœur, peu convaincu.

— À donner l'impression que c'est quelqu'un souffrant de maladie mentale qui a commis le crime.

— Donc, si les fous sont dangereux, il est dangereux d'avoir un centre de fous à proximité du village, avait conclu Todd qui suivait le raisonnement de Labonté.

— Belle philosophie…, avait commenté Jolicœur, écœuré.

— Non, non…, avait murmuré Kate après un moment, l'hypothèse ne tient pas la route. Même si on en vient à la conclusion qu'un « fou » a tué le docteur… Ça ne garantit pas nécessairement la disparition du centre. Cela pourrait créer de l'agitation parmi la population, les opposants de la première heure pourraient se servir de l'occasion pour soulever à nouveau les villageois contre le centre… Mais il n'y a aucune certitude qu'ils en obtiendraient la fermeture. Dans ce cas, pourquoi commettre un meurtre si l'on n'est pas absolument sûr que le meurtre va nous permettre d'obtenir ce que l'on désire ?

— On pourrait toujours envisager, avait alors suggéré Jolicœur sans y croire, l'hypothèse d'un crime passionnel issu du cerveau dérangé d'une femme éconduite et profondément religieuse.

— On pourrait, avait dit Todd laconiquement.

— Il y a aussi ses patients, avait timidement proposé Labonté, ne voulant pas froisser Todd.

— Labonté a raison, avait dit Trudel en regardant Todd. Toutes les pierres doivent être retournées.

— Bien sûr, avait admis Todd.

— Les patients, la femme éconduite, les opposants au centre…, avait réfléchi Kate à voix haute. Vous croyez réellement à l'une de ces hypothèses en considérant l'état de la scène ?

— On en reviendrait donc au rituel, satanique ou autre…, avait dit Trudel, tentant de cerner la pensée de Kate.

— Oui, mais non.

— *Yes, but no ?* avait répété Todd, incrédule.

— Ça pourrait être un rituel, mais… je ne sais pas.

Kate cherchait à ordonner les pensées confuses qui traversaient son cerveau.

— La scène du crime est… C'est excessif. Quand je regarde ça, ce n'est pas une mise en scène de rituel que je vois… Mais une mise en scène tout court. Ce qui justifierait une des hypothèses précédentes, avait-elle admis. Cependant, avait-elle repris quelques secondes plus tard, l'hypothèse du rituel me semble beaucoup plus plausible… *Shit !* s'était-elle finalement enragée. Tout ça est terriblement flou !

— Comme un mirage, avait murmuré Labonté en se laissant choir, pensif, contre le dossier de sa chaise.

7

Kate et Todd roulaient en silence en direction de Serenity Gardens, chacun absorbé dans la contemplation de la nature qui s'éveillait autour d'eux. Comment cette beauté peut-elle côtoyer autant d'horreur ? avait songé Kate en se rappelant le coucher de soleil bouleversant qui l'avait accueillie, alors qu'elle avait neuf ans et qu'elle quittait pour toujours l'appartement où elle était née et où venaient de mourir sa mère et son frère.

— Parle-moi du centre, avait demandé Kate à Todd pour chasser les souvenirs douloureux qui la submergeaient.

— *It's a fantastic place...*, avait aussitôt dit Todd. Un concept unique. D'un côté, en résidence permanente, des patients âgés souffrant de maladies mentales, mais asymptomatiques, et de l'autre, des jeunes en transition qui relèvent d'une crise aiguë. Souvent leur première crise. Schizophrénie, troubles bipolaires, désordres de la personnalité...

— Les aînés aident les jeunes à apprendre à vivre avec leur maladie... et facilitent ainsi leur réinsertion dans la société, avait compris Kate.

— *Right...* Et les vieux se sentent utiles. Ma mère n'a jamais été aussi heureuse.

Kate avait remarqué qu'à ces mots le visage de Todd s'était éclairé. Brave Todd, avait-elle songé. Malgré tout ce que la maladie de sa mère lui a fait subir, il n'a jamais cessé de l'aimer.

— Tu es un bon fils, avait-elle dit après un moment.

Todd s'était tourné vers elle et l'avait observée avant de parler.

— Tu vois ma mère comme une schizophrène. Comme tous ceux qui ne connaissent pas la maladie mentale, tu la définis par sa maladie. Moi... je ne vois qu'une mère. La mienne. Une femme courageuse et intelligente qui a fait tout ce qu'elle pouvait pour son fils ; malgré ses problèmes personnels. *I'm not a good son, Kate.* Je suis simplement le fils qu'elle mérite.

Touché ! avait-elle songé en pénétrant dans le stationnement réservé aux visiteurs.

Pour Kate, dont c'était la première visite, la surprise avait été de taille lorsqu'elle avait contourné la haie de pins gigantesques qui camouflait le centre et qu'elle avait découvert le site de Serenity Gardens.

— *Shit !* Je vivrais bien ici, moi.

Todd avait ri.

— Je te l'ai dit. *Amazing place.*

L'endroit n'avait rien à voir avec les centres conventionnels de tout acabit. Construit à l'image des résidences de la Nouvelle-Angleterre, en clins de bois gris aux parements blancs, le centre ressemblait davantage à une luxueuse maison de campagne qu'à un centre de réinsertion sociale. De plus, érigé sur une terre de dix acres, il était entouré de jardins bordés par une forêt d'arbres adultes.

Kate n'en revenait pas.

— Et c'est le Dr Thérien qui a payé tout ça ?

— Il a investi une part de ses avoirs personnels et le reste vient des nombreuses collectes de fonds qu'il a organisées. Crois-moi, personne ne pouvait rester indifférent aux demandes de cet homme.

— Impressionnant…

— Son combat contre les tabous entourant la maladie mentale était une véritable vocation.

Kate examinait le site avec admiration.

— L'entretien d'un endroit comme celui-là doit coûter une petite fortune…

Todd avait souri.

— Les travaux sont exécutés par les résidents. Ça fait partie du programme.

Kate en était restée bouche bée.

— Quelle idée merveilleuse… Les jeunes patients peuvent apprendre un métier, avait-elle réfléchi à voix haute, acquérir le sens des responsabilités, regagner confiance en eux… Les bénéfices sont incalculables.

— Et ça, c'est sans compter l'excellent soutien thérapeutique du centre.

— Un soutien dont Arthur Thérien va sûrement avoir besoin, avait dit Kate, se rappelant le but premier de leur visite.

Todd avait grimacé. Il redoutait toujours ces moments où la tâche leur incombait d'annoncer à une famille la mort violente d'un de leurs proches. Et la tâche était encore plus difficile aujourd'hui puisqu'il s'agissait d'annoncer à un père de soixante-quinze ans la mort de son fils.

— Si près de la mort, avait murmuré Todd perdu dans ses pensées, et voir son fils mourir.

— On ne devrait jamais avoir à annoncer la mort d'un enfant, avait poursuivi Kate.

— Bonjour, avait alors claironné une voix derrière eux en provenance des jardins.

— Mary…, avait simplement dit Todd en guise de salutation à la femme qui s'approchait d'eux.

— Tu es venu rendre visite à ta mère ? lui avait-elle demandé, se tournant ensuite vers Kate la main tendue. Je suis Mary Pettigrew, je m'occupe de l'administration du centre.

Kate lui avait serré la main en se présentant à son tour. Puis un silence inconfortable s'était installé.

— Vous n'êtes pas venus voir ta mère, avait finalement compris la femme. Vous êtes ici en visite officielle.

Todd avait hoché la tête.

— Il est arrivé un malheur, avait-il commencé doucement, craignant la réaction de Mary. Le Dr Thérien... est... a été tué.

Si la nouvelle n'avait pas été aussi dramatique, la situation aurait été comique, car tout ce que Mary Pettigrew était parvenue à faire pour exprimer sa surprise – ou sa douleur ? –, c'était chiffonner son visage dans une grimace ressemblant davantage à la figure d'un poupon en plein effort pour remplir sa couche qu'à un masque tragique.

Kate avait regardé Todd, ne sachant trop comment poursuivre la conversation.

— Mary ? Est-ce que ça va ? avait demandé Todd.

La pauvre femme restait figée.

— Venez, avait alors dit Kate en la poussant vers l'intérieur du bâtiment. On va vous trouver quelque chose à boire.

— Oh, mon Dieu, avait murmuré la femme, une fois installée dans un des fauteuils de l'entrée, un verre d'eau à la main. Je ne peux pas y croire...

Et elle avait aussitôt éclaté en sanglots.

— Je comprends que la mort du Dr Thérien puisse être un véritable choc pour vous, avait dit Kate au bout d'un moment, tandis que Mary Pettigrew semblait se calmer. Il est facile de constater, avait-elle poursuivi en désignant le centre, que c'était un homme remarquable.

La femme s'était aussitôt emparée du dernier mouchoir en papier encore dissimulé dans les plis de sa manche gauche et l'avait porté à ses yeux. Une nouvelle crise de larmes avait accompagné son geste.

— Je suis désolée, répétait-elle sans relâche en tentant de se reprendre. Je devrais avoir une meilleure maîtrise de mes émotions. Ce n'est pas très professionnel.

— Nous devons parler à Arthur Thérien, insistait Todd avec douceur. Avant qu'il n'apprenne la nouvelle de la mort de son fils par les médias...

Mary était finalement parvenue à se contenir. Il a raison, avait-elle songé. Je dois m'occuper d'Arthur... Et elle avait immédiatement interpellé Normand, un préposé qui venait dans leur direction.

— Normand, avait-elle dit avec autorité. Va chercher Arthur Thérien.

L'homme les avait regardés, les yeux ronds.

— Je croyais que c'était justement pour lui que vous étiez ici..., avait-il répondu en direction de Todd qu'il savait être un agent de la SQ.

— Il s'est passé quelque chose en mon absence ? avait demandé Mary, alarmée.

L'air hébété, l'homme avait regardé Mary puis avait répondu.

— Depuis une demi-heure, c'est le branle-bas de combat dans les étages. Arthur Thérien a disparu.

8

Depuis combien de temps était-il tapi dans les fourrés ? Il l'ignorait. Cependant, le soleil qui déclinait lui indiquait qu'il ferait bientôt nuit.

Le vieil homme avait frissonné. Ses vêtements étaient trempés.

— A-t-il plu ? avait-il murmuré dans la pénombre.

— Tu as trébuché, lui avait chuchoté une voix amicale à l'oreille.

L'homme avait regardé ses vêtements. Ils étaient couverts de taches brunâtres. De la boue sûrement… Cette constatation lui avait fait penser à l'état d'Emma Dawson lorsqu'elle avait fait sa chute. Il avait aussitôt porté la main à ses chevilles. Intactes. Très bien, je peux marcher, avait-il songé.

— Pour aller où ? avaient soudain demandé des voix alarmées. Non !

— Assez ! avait grogné l'homme. On ne peut pas passer la nuit ici. Il fait trop froid.

— Mais… Ils sont encore là !

L'homme avait été tétanisé. Ils les avaient oubliés. Comment avait-il pu les oublier ?

Il avait jeté un coup d'œil dans leur direction. Ils étaient encore là. À quadriller le champ. Comme des araignées géantes tissant leur toile.

— On a déjà dormi dans le bois…

— Oui, mais c'était l'été. Là, les nuits sont encore très froides. Il pourrait même y avoir du gel…

— Tu oublies la caverne…

La caverne… Mais oui. Bien sûr. Elle devait être à une trentaine de mètres derrière lui, sur sa gauche.

— Bonne idée, avait-il murmuré aux voix en se préparant à ramper en direction de l'abri de fortune.

Il avait jeté un dernier coup d'œil aux araignées. L'animation avait diminué dans le champ. On aurait dit qu'elles s'apprêtaient à le quitter.

— Ne prends pas de risque, avait murmuré une des voix, ça pourrait être un piège. Elles pourraient revenir. Et alors…

Arthur n'avait pas discuté. Réunissant ce qui lui restait de force, il avait planté ses ongles dans la terre et propulsé son corps en avant. Il devait atteindre la caverne avant la nuit.

9

En premier lieu, Kate et Todd ne s'étaient pas inquiétés outre mesure de la disparition d'Arthur Thérien. Après tout, l'homme était majeur et vacciné. Et, selon un des préposés, il ne manquait vraisemblablement à l'appel que depuis l'heure du petit-déjeuner. Mais, après avoir discuté avec le Dr Pelland, ils avaient compris qu'il était impératif de retrouver l'homme, car Arthur Thérien, même s'il était présentement asymptomatique, était schizophrène. Il était capital qu'il soit encadré lorsqu'il apprendrait la mort de son fils.

— Calme-toi, avait dit Todd qui essayait d'interroger Mary, vraisemblablement la dernière personne à avoir vu Arthur Thérien. J'ai besoin que tu gardes ton calme.

Todd avait jeté un regard découragé à Kate et reculé de quelques pas, lui indiquant ainsi de prendre la relève.

— Mary... avait-elle commencé lentement, j'ai besoin qu'on reprenne la journée d'Arthur depuis son réveil. Vous pouvez faire cela pour moi ?

La femme avait inspiré longuement, tentant manifestement de maîtriser les sanglots qui, par à-coup, lui montaient à la gorge.

— Allez-y..., avait dit Kate avec douceur. Je vous écoute.

Mary avait acquiescé silencieusement, puis s'était mouchée avant de prendre la parole.

— Vous savez, avait-elle commencé nerveusement, je suis comme tous les autres, ici.

Kate avait froncé les sourcils, ne comprenant pas immédiatement où Mary voulait en venir. Elle avait jeté un coup d'œil à Todd qui avait haussé les épaules.

— Je ferais mieux d'aller voir si le Dr Pelland a du nouveau, avait alors dit Todd à Kate avant de s'éloigner dans le corridor.

— Avant Serenity Gardens, je travaillais dans un gros bureau de comptables à Montréal… Je suis comptable agréée, précisait maintenant Mary fièrement.

Kate avait hoché la tête et attendu patiemment la suite.

— J'ai fait… un *burn-out*. Enfin, c'est ce que mon médecin généraliste de l'époque avait diagnostiqué avant de me renvoyer chez moi…

Mary avait eu un rire nerveux.

— L'âge de pierre de la médecine, avait-elle commenté pour justifier sa réaction. Comme je ne connaissais pas mieux, j'ai écouté ses recommandations et j'ai quitté, du moins temporairement, mon travail. Ma situation a empiré au point où je me suis retrouvée en garde surveillée aux soins psychiatriques. J'étais devenue un danger pour moi-même, avait-elle ajouté tristement.

— Je suis désolée, avait dit Kate qui ne savait comment réagir à sa confession.

— Mais le hasard a voulu que le bon Dr Thérien soit de garde ce jour-là, avait-elle continué, en esquissant un vague sourire. Je ne faisais pas de *burn-out*… Je faisais une crise aiguë de dépression. Le docteur a d'abord remédié aux symptômes, puis m'a fait comprendre que le poids du monde que je portais sur mes épaules depuis l'enfance était un des symptômes de la dépression chronique. Grâce à une bonne médication et à des séances de thérapie efficaces, j'ai retrouvé le goût de vivre. Et le monde, pour la première fois, s'est allégé.

Mary avait regardé Kate, les yeux, lui avait-il semblé, pleins de reconnaissance pour le psychiatre.

— Vous me disiez que vous étiez comme les autres, avait repris Kate après un moment.

— Oh, excusez-moi… Je m'égare. Je voulais simplement vous faire comprendre… Bien que j'administre Serenity Gardens, je suis comme ses patients. Un avantage parce que je comprends parfaitement les résidents. Un inconvénient toutefois quand le niveau de stress est trop élevé.

Kate saisissait enfin le pourquoi de la digression de Mary Pettigrew.

— Cela vous est-il arrivé souvent depuis l'ouverture du centre d'avoir de la difficulté avec votre niveau de stress ? avait finement demandé Kate.

Mary avait réfléchi avant de répondre.

— Non… pas vraiment, avait-elle avoué timidement.

Kate lui avait souri.

— Les événements d'aujourd'hui engendreraient un stress énorme chez n'importe quelle personne. Je ne crois pas que vous ayez failli à votre devoir, avait-elle ajouté, bienveillante.

Mary l'avait regardée avec soulagement.

— Maintenant, si vous voulez bien essayer de vous rappeler les faits et gestes d'Arthur Thérien depuis son réveil…

Sa confiance retrouvée, l'attitude de Mary avait changé du tout au tout.

— Le réveil général est à six heures. Tous les résidents, sans exception, doivent faire leur toilette avant de se rendre à la véranda où est servi le petit-déjeuner. Arthur est toujours le premier arrivé. Il prend quelques fruits, puis se sert un café à emporter…

— Il ne déjeune pas avec les résidents ?

— Non… Il préfère aller prendre l'air, comme il dit. Chaque matin, il fait douze kilomètres aller-retour dans la Bolton Pass.

— La Bolton Pass…, avait répété Kate, soudain alarmée. Et ce matin ? avait-elle enchaîné mine de rien.

— Il y est allé, comme tous les autres matins. Je l'ai moi-même accompagné jusqu'au chemin…

— Et, c'est vérifié ! Personne ne l'a revu depuis, avait dit Todd qui, en revenant vers elles, résumait les derniers renseignements glanés auprès de la directrice. Mais comment se fait-il qu'Arthur Thérien ait pu quitter le centre sans que personne ne s'en aperçoive ? avait-il ajouté irrité, soudain inquiet pour sa propre mère.

Mary l'avait toisé du regard.

— Todd Dawson, l'avait-elle réprimandé. Tu devrais savoir mieux que quiconque que les résidents sont libres de circuler à leur guise. Ce ne sont pas des criminels dangereux !

— Arthur Thérien aurait-il pu aller rendre visite à d'autres membres de sa famille ? Ou bien à des amis ? avait enchaîné Kate avec délicatesse.

— Arthur n'avait que son fils, avait balbutié Mary avec difficulté, visiblement au bord d'une nouvelle crise de larmes. À part ses promenades matinales, il ne quittait jamais le centre.

Todd et Kate s'étaient consultés du regard. Il fallait qu'ils se rendent à l'évidence. La mort du fils, la disparition du père… Il ne pouvait s'agir d'une coïncidence. Arthur Thérien avait-il lui aussi été victime du tueur aux pentacles ?

10

Pendant que Todd avertissait le reste de l'équipe des derniers développements, Kate avait contacté la centrale téléphonique pour demander d'émettre un avis.

Recherché. Arthur Thérien, mâle, caucasien, un mètre quatre-vingts, cheveux blancs, soixante-quinze ans, résident du centre Serenity Gardens. Témoin possible dans une affaire de meurtre. Aperçu la dernière fois aux abords de la Bolton Pass.

Aucun patrouilleur n'avait cependant encore signalé sa présence.

— Il pourrait être n'importe où, avait dit le Dr Pelland à l'Escouade maintenant réunie dans la salle de conseil du centre pour faire le point. Le village est entouré de bois…

— On sait au moins que le vieux n'est pas sur le site, avait confirmé Labonté qui, à son arrivée, avait ratissé les lieux en compagnie de Jolicœur et de quelques membres du personnel.

— Et que s'il est dans la Bolton Pass, avait ajouté Todd, le rapport des patrouilleurs en main, il est bien caché.

— Ou mort au fond d'un fossé, avait lancé Jolicœur, pragmatique.

À ces mots, Mary Pettigrew, qui était restée à l'écart du groupe, avait étouffé un sanglot. L'inspecteur Trudel avait fusillé Jolicœur du regard.

— Madame Pettigrew, avait dit Trudel en allant vers elle, excusez le sergent. La journée a été longue et...

— Non, non, l'avait interrompu le Dr Pelland. Votre homme a raison. Arthur a passé la journée dehors, sans manger... Il pourrait avoir eu une faiblesse.

— Oh, mon Dieu ! s'était exclamée Mary.

— Quoi ? avait demandé Todd aussitôt.

Mary semblait confuse, en proie à un débat intérieur complexe.

— Mary..., avait insisté Todd.

— Je..., avait-elle commencé, un regard oblique en direction du Dr Pelland. Le stress, ce n'est pas bon... Vraiment pas bon...

— Qu'est-ce que vous voulez dire ? l'avait coupée Kate qui commençait à s'impatienter.

La femme l'avait regardée, l'air effaré, puis avait tourné la tête en direction de la psychiatre.

— Il pourrait être en crise, avait finalement dit le Dr Pelland. Il pourrait avoir fait une rechute...

Ils avaient tous envisagé la possibilité que l'homme puisse être un témoin important, ou même, une seconde victime. Mais l'hypothèse d'un schizophrène en cavale...

Kate avait échangé un regard entendu avec Trudel. Il était temps de faire intervenir l'équipe de Recherche et Sauvetage.

11

Une fois le travail de chacun convenu pour le lendemain, Kate s'était occupée de contacter l'équipe RS, sachant que l'obscurité d'une nuit sans lune ainsi que la brume printanière qui s'élevait de la vallée ne leur permettraient pas de commencer les recherches avant l'aube.

— *You intend to drink your beer... or stare at it till it disappears ?*

Kate avait interrompu sa contemplation de la Bleue posée sur le comptoir devant elle et levé les yeux. Bill, le plus ancien des barmen, l'observait tout en époussetant les tablettes en verre où s'alignaient habituellement des alcools aux couleurs déconcertantes.

Le Thirsty Cowboy n'avait rien à envier aux autres bars qui longeaient les routes de campagne. Il était sombre à souhait, et ses murs marron, ses tables bancales et ses chaises en bois, style western, étaient assurés de ne pas dérouter le plus perdu des visiteurs. Sans compter les complaintes sirupeuses qui s'écoulaient en permanence des haut-parleurs...

Je suis seule avec mes rêves sur la monta-a-gne...

— Si elle pouvait s'évaporer, ça réglerait mon problème, avait finalement répondu Kate avant de prendre une longue goulée de bière à même la bouteille.

Elle avait aussitôt regretté son geste. Mais la soif qui l'habitait l'avait emportée, et elle avait vidé sa bière d'un trait en s'éloignant vers le fond du bar, où l'attendait une table isolée.

— *Thanks...*, avait-elle dit à Bill comme il déposait une nouvelle bouteille sur la surface à la propreté douteuse.

Kate savait qu'elle aurait dû rentrer chez elle préparer sa journée du lendemain, mais voilà... Ce soir, elle n'avait pas la force de résister.

La chanson au bout du vent... me rappelle les souvenirs de toi...

Pourquoi ne puis-je voir que la face cachée de la lune ? s'était-elle demandé avec sarcasme en se souvenant des mots de Trudel. Parce que, cher Paul, je suis née sur la face cachée. Là où la Lumière a perdu la bataille...

Puis elle s'était de nouveau réfugiée dans le confort de sa bouteille. Elle pouvait bien s'apitoyer sur elle-même tant qu'elle le voulait, elle savait, en son for intérieur, que son enfance violentée n'était pas, ce soir, la responsable de son intarissable soif. Le fait cependant de côtoyer de nouveau Trudel au quotidien et le fait qu'il se soit réservé une chambre à l'auberge du village pour la durée de l'enquête...

Comment résister à son envie d'aller forcer la porte de Paul comme elle l'avait fait tant de fois par le passé ? Se vautrer dans son corps à n'en plus jouir. Sombrer dans le sexe comme dans un sommeil réparateur. Comment Kate pouvait-elle regarder cet homme comme une relation de travail, quand leurs inoubliables séances de baise qui permettaient d'anesthésier ses sentiments, jusqu'à son amour pour lui, la tourmentaient encore autant ? Comment ?

Je pourrais toujours prendre ma retraite de la SQ, avait-elle songé, à bout de réponses, sachant trop bien que Paul, en acceptant de cohabiter avec la jeune et jolie

«Julie-la-relationniste», avait, pour le meilleur et pour le pire, refait sa vie ailleurs.

— Oui… prendre ma retraite, avait murmuré Kate sans s'en rendre compte.

Il était vrai que ce métier, qui la sauvait d'elle-même depuis toujours, avait aussi l'effet pervers de la perdre davantage. Et avec l'Escouade qui la plongeait encore plus dans la lie…

En s'emparant d'une troisième bouteille que le barman venait de déposer sur sa table, Kate avait demandé :

— Penses-tu, Bill, que l'être humain est fondamentalement bon ?

L'homme l'avait regardée en souriant.

— *Humans are humans.* Ni bon, ni méchant…

Kate avait souri tristement.

— *Just human*, avait-il terminé avant de s'éloigner vers le bar.

Seulement humain, s'était répété Kate. Comment un corps troué d'une balle en plein cœur et laissé au beau milieu d'un champ, entouré de pentacles, pouvait-il être l'œuvre d'un humain ? À moins que le mot «humain» ne soit devenu une excuse à l'horreur…

Puis Kate avait songé à Arthur Thérien. Avait-il eu un accident ? Était-il mort ? Avait-il fait une rechute ?

Il lui fallait bien se l'avouer, l'histoire des pentacles pouvait parfaitement être l'œuvre d'un esprit dément. Mais était-il possible de penser que ce vieil homme, même en pleine rechute, ait pu tuer son propre fils ?

Évidemment que c'était possible. Elle le savait trop bien. Pas besoin de souffrir de maladie mentale pour tuer son enfant.

Et l'image du cou tailladé de son frère avait ressurgi.

Kate avait remué sur sa chaise. Comme tant d'autres fois, le sentiment d'impuissance qui l'avait gagnée en revoyant mentalement cette scène la révulsait. Arthur ne peut pas avoir tué son fils, s'était-elle finalement insurgée. Il faudrait bien que la lumière triomphe des ténèbres au moins une fois dans cette maudite vie !

Puis, Kate avait fixé sa bière. Le houblon n'avait pas fait l'effet escompté. En laissant son regard dériver sur la faune locale qui avait progressivement envahi le bar depuis son arrivée, elle avait pendant un bref instant fantasmé sur un des cow-boys accoudés au bar dont les œillades suggestives dans sa direction laissaient amplement deviner les intentions. Mais elle avait rapidement détourné les yeux. Elle savait que rien ne pourrait, ce soir, l'anesthésier. Comme Sylvio, avait-elle tout à coup songé. Sylvio qui, en ce moment, devait pleurer sa femme, en silence dans le noir… pour que ses enfants ne l'entendent pas.

Nicoletta Branchini, la femme de Sylvio, chef pathologiste au Laboratoire de médecine légale, avait dès leur première rencontre gagné le cœur de Kate. Kate affectionnait déjà beaucoup Sylvio avec qui elle travaillait, et quand il l'avait laissée entrer dans *la sua famiglia*, quand il l'avait invitée à partager un repas de Noël avec sa femme et ses trois enfants, elle avait craqué pour toute la famille. Le sentiment avait été réciproque. Plus tard, lorsque Kate avait voulu les remercier pour leur gentillesse en leur offrant un cadeau, Sylvio avait simplement dit : « *Carissima… Non è necessario. Sei di famiglia.* » Tu es de la famille…

Kate frissonnait. Pour elle, Nico était la mère des mères. Et même si elle était de dix ans la cadette de Kate, elle était tout naturellement devenue la sienne. En la perdant, deux mois plus tôt, à cause de ce cancer de jeunesse qui, après une rémission, était devenu « fulgurant », Kate avait perdu sa mère pour la seconde fois.

Dégoûtée par son propre apitoiement, alors qu'elle savait Sylvio aux prises avec l'inimaginable, elle avait repoussé la bouteille et s'était dirigée vers la sortie.

Comme la porte se refermait derrière elle, Kate avait eu un pincement au cœur en entendant les derniers vers de la chanson diffusée dans le bar.

Quand le soleil dit bonjour aux monta-a-gnes... Je suis seul et ne veux penser qu'à toi...

12

Sous les ordres du chef d'opération de l'équipe de Recherche et Secours, la brigade cynophile était arrivée à Serenity Gardens à l'aurore et les chiens, après qu'on leur avait fait renifler des vêtements appartenant au disparu, avaient commencé à suivre les traces d'Arthur Thérien.

Pour ne négliger aucune piste, une trentaine de bénévoles quadrillaient à nouveau le site du centre et une centaine d'autres avaient entrepris de fouiller les abords de la route qui traversait la Bolton Pass. Pendant ce temps, un hélicoptère de la GRC survolait le défilé, car après avoir questionné de nouveau le personnel du centre, il avait été déterminé que l'endroit où l'on avait retrouvé le cadavre était aussi le but des promenades d'Arthur. Alors si Arthur n'avait pas été victime d'un enlèvement, il risquait de se trouver quelque part entre le centre et la scène du crime. Mort ou vif.

Les recherches étant maintenant du ressort de l'équipe RS, l'Escouade avait pu continuer son travail d'investigation et les sergents Labonté et Jolicœur avaient hérité de l'hypothèse de la femme éconduite.

Installés dans la salle d'informatique du poste de Brome-Perkins, les deux sergents consultaient à présent les différentes banques de données accessibles aux corps policiers dans le but de trouver des documents légaux prouvant ou invalidant l'existence d'une « madame » Thérien.

Rapidement, ils avaient découvert que le psychiatre n'avait jamais été marié. Ni civilement, ni religieusement. Puis grâce à ses déclarations de revenus qui n'indiquaient aucun conjoint de fait, ils avaient aussi été en mesure d'affirmer que le bon docteur n'avait pas « officiellement » de femme dans sa vie. Quant à secrètement…

Même s'ils jugeaient improbable qu'une relation demeure secrète dans une communauté aussi petite que Perkins, ils avaient malgré tout décidé d'interroger le personnel du centre sur le sujet.

— Tu gages combien ? avait demandé Jolicœur à Labonté en pénétrant dans le centre.

— Un huard qu'il n'a pas de petite amie, avait répondu ce dernier en vidant ses poches à la recherche du dollar promis.

— Une piasse ? l'avait nargué son coéquipier.

— Quand tu vas perdre, tu vas être content que je n'aie pas parié davantage ! s'était exclamé Labonté en s'approchant de la réception.

— Bienvenue à Serenity Gardens que puis-je faire pour vous ? avait enchaîné d'une traite une secrétaire qui semblait ne pas avoir été témoin des événements de la veille.

— Rien, avait répondu platement Jolicœur.

Sa réponse avait réussi à attirer l'attention de la jeune femme.

— Vous ne pouvez rien faire pour moi, avait repris Jolicœur, mais le Dr Diane Pelland, oui.

Sur ces mots, Labonté et Jolicœur, à l'unisson, comme d'un geste longuement répété, avaient rabattu d'un léger coup de poignet la couverture de leur porte-badge, découvrant ainsi simultanément leur insigne.

Le visage impassible de la jeune fille avait viré au blanc.

— Oh, excusez-moi… Oui, bien sûr… Tout de suite, avait-elle dit en se précipitant sur l'interphone.

— Tu crois qu'elle a quelque chose à se reprocher ? avait chuchoté Jolicœur en riant.

Labonté n'avait pas eu le temps d'ouvrir la bouche. La directrice était arrivée derrière eux et les avait invités à la suivre dans son bureau.

Une fois installés, les deux sergents lui avaient de nouveau offert leurs condoléances et s'étaient ensuite attaqués à la raison de leur visite.

À la question « À votre connaissance, le Dr Thérien avait-il une petite amie ? », la femme avait écarquillé les yeux et répété :

— Une petite amie ?

Puis devant les visages médusés de Labonté et Jolicœur, elle avait finalement expliqué :

— Pour quelqu'un qui a connu l'homme, c'est étrange de vous entendre poser cette question. Le Dr Thérien était homosexuel. Et comme toutes les causes qu'il défendait, il défendait la liberté de l'orientation sexuelle… avec conviction.

— Avait-il un amoureux ? avait demandé Labonté, après un moment.

— L'homme était marié à son travail, à sa recherche, à sa volonté de faire la lumière sur la maladie mentale… mais il n'avait pas de compagnon.

— Des aventures, alors ? avait persisté Jolicœur.

— Non, sergent. Il était gai, mais non pratiquant, avait tenté de clore le Dr Pelland.

— Et qu'est-ce qui vous permet d'affirmer ça ? avait insisté Labonté, sceptique.

Le docteur avait débattu intérieurement de la question avant de répondre.

— Après tout, avait-elle dit, presque pour elle-même, vous allez sûrement faire une autopsie. Ce n'est pas comme si je dévoilais son secret…

— Son secret ? avait répété Jolicœur.

La femme les avait regardés en soupirant.

— Claude Thérien n'était pas normalement constitué.

Curieux, Labonté et Jolicœur l'avaient interrogée du regard.

— Disons que l'homme n'avait plus d'organes reproducteurs. Un accident remontant à quelques années…

Labonté et Jolicœur avaient alors eu l'air ahuri des célèbres Dupond et Dupont des aventures de Tintin.

— Tu me dois un dollar, avait murmuré Labonté à Jolicœur en sortant du bureau, quelques instants plus tard.

13

Kate redoutait les yeux inquisiteurs de Marquise Létourneau. Mais l'enquête ne pouvait attendre et Marquise Létourneau était bel et bien la psychiatre à l'emploi de la SQ. Cependant, ce matin-là, après une nuit trop courte pour cuver ses excès de la veille, Kate aurait préféré être ailleurs.

— Je suis heureuse de vous revoir, avait dit Marquise Létourneau, assise derrière son bureau, le visage impassible comme toujours.

Kate aurait eu envie de répondre que ce n'était pas son cas, mais elle s'était abstenue.

— Pour une fois, avait-elle plutôt dit, ce n'est pas de moi qu'il s'agit.

Marquise Létourneau n'avait pas réagi. Elle avait patiemment attendu la suite, sachant que Kate était venue la consulter dans le cadre d'une enquête.

Kate lui avait alors remis le document légal qui lui permettrait de fouiller les dossiers du défunt psychiatre.

— Vous avez compris que ce document ne m'autorise qu'à vous divulguer les éléments que je jugerai nécessaires à votre enquête ? avait souligné la psychiatre après en avoir pris connaissance.

Kate avait acquiescé d'un hochement de tête.

— Très bien. Je vais prendre les arrangements nécessaires avec le centre. C'est bien à Serenity Gardens que Claude Thérien conservait ses dossiers ?

— Exact. Il n'avait vraisemblablement plus de bureau à l'extérieur du centre. Il se consacrait maintenant entièrement à sa recherche et avait même laissé la direction du centre au Dr Diane Pelland.

— Une psychiatre remarquable.

Kate en avait pris note dans son carnet.

— Connaissiez-vous aussi le Dr Thérien ? avait-elle poursuivi après un moment.

— Nous avons étudié ensemble à l'Université de Montréal, mais nous nous sommes perdus de vue par la suite. J'ai suivi de loin sa carrière, avait-elle dit en désignant *L'actualité* sur son bureau, mais sans plus. Nos champs d'intérêt en psychiatrie étaient, comment dirais-je, presque à l'opposé.

Kate l'avait interrogée du regard.

— Je m'intéresse à la maladie mentale d'un point de vue « criminel ». Je m'occupe de pathologie criminelle. Le Dr Thérien travaillait à éliminer le concept « malade mental égale tueur en série ».

— Vous n'étiez donc pas en accord avec lui ?

— Vous vous trompez. J'adopte entièrement ce point de vue.

Kate avait froncé des sourcils.

— Prenons la schizophrénie, par exemple… Moins de trois pour cent des schizophrènes sont considérés comme dangereux pour autrui. Les schizophrènes, en fait, sont surtout un danger pour eux-mêmes. Le Dr Thérien et moi étions à l'opposé parce que mon travail se concentre uniquement sur ces trois pour cent… et aussi, bien entendu, sur les gens qui doivent vivre avec la criminalité au quotidien, avait-elle ajouté, faisant volontairement référence à son travail avec Kate.

Kate avait gigoté sur son fauteuil et ouvert son carnet à la recherche d'une information fictive, dans le vain espoir de cacher son désarroi.

Marquise Létourneau, qui n'était pas dupe, avait observé son manège. Elle n'avait pu s'empêcher de remarquer les cernes sous les yeux de Kate. A-t-elle recommencé à boire ? s'était-elle demandé.

— Le corps de Claude Thérien a été découvert entouré de pentacles, avait enchaîné Kate, sa contenance retrouvée. Le tueur en avait même gravé un sur son front…

— Les pentacles… Ne sont-ils pas généralement associés à des rituels sataniques ?

— Généralement…

— Mais ? avait insisté Marquise Létourneau devant l'hésitation de Kate.

— Mais…, avait encore tergiversé Kate avant de se lancer, se peut-il que ce soit l'œuvre d'un schizophrène en crise ?

— Tout est possible… Vous avez un suspect ? avait demandé la thérapeute.

— Je pense au père de la victime…

La psychiatre avait hoché la tête.

— Je suppose que c'est son fils qui le traitait ?

— Exact.

— Et où est-il en ce moment ?

— Aucune idée.

Devant son regard interrogateur, Kate lui avait expliqué la séquence des événements. Son compte rendu terminé, Kate avait été surprise par la réaction de la femme.

— Et pourquoi, déjà, Arthur Thérien serait-il considéré comme un suspect ?

— Parce qu'il a l'habitude de se promener dans la Bolton Pass, parce qu'il a disparu, parce qu'il pourrait être en crise…

— Si l'homme était diabétique, l'avait interrompue la thérapeute, l'auriez-vous aussi rapidement considéré comme un suspect ?

Kate avait regardé Marquise Létourneau mais n'avait pas répondu.

— Mon point est le suivant… À moins que l'homme soit en crise parce qu'il n'a pas pris ses médicaments ou parce qu'il a fait une rechute après une période de rémission… et à moins que l'un ou l'autre de ces cas soit accompagné d'un délire meurtrier – délire, je vous le rappelle, qui ne touche potentiellement que trois pour cent de la population totale des schizophrènes –, votre homme n'a pas tué son fils. Il serait même plus probable qu'il se soit enlevé la vie.

Kate se rendait maintenant compte à quel point elle était rapidement arrivée à la conclusion que l'homme pouvait avoir tué son fils. Son propre passé l'avait-il influencée, ou était-ce ses préjugés sur la maladie mentale ?

— Merci, avait-elle dit à Marquise Létourneau, j'attends votre rapport d'analyse des dossiers.

Kate allait se lever quand la psychiatre l'avait arrêtée.

— Et vous, Kate… Comment allez-vous ?

Kate s'était crispée.

— Très bien.

La psychiatre l'avait fixée.

— Vous semblez fatiguée… Vous passez de bonnes nuits ?

Encore une fois, Kate n'avait pu s'empêcher d'admirer le talent de la femme. Comme un pitbull, elle ne lâche jamais son os, avait-elle songé.

— Non, je n'ai pas recommencé à faire des cauchemars, avait-elle dit, croyant répondre à la question sous-entendue du docteur.

— Je ne faisais pas référence à vos cauchemars…

Cette fois, Kate s'était levée, décidée à ne pas se rasseoir.

— Vous savez, avait dit la psychiatre avant que Kate n'atteigne la porte du bureau. Vos visites ne doivent pas absolument être officielles. Je peux vous recevoir sans en informer la SQ…

— Lieutenant McDougall, l'avait interrompue Kate en prenant la communication à l'instant même où son téléphone cellulaire se faisait entendre. Très bien. J'arrive !

Kate avait évité le regard de Marquise Létourneau.

— Ils ont retrouvé Arthur Thérien, avait-elle dit en guise d'excuse. Il faut que j'y aille.

Puis elle s'était précipitée vers la sortie.

— N'oubliez pas mon offre…, avait glissé le docteur.

— J'en prends note, avait dit Kate en fuyant le bureau comme si elle fuyait la peste.

14

Arthur était roulé en boule sur la banquette arrière de la voiture de service. Les menottes lui entravaient la chair, mais il n'en avait pas connaissance. Les voix qui explosaient dans sa tête faisaient amplement contrepoids à la douleur.

C'était un bénévole de l'équipe RS qui l'avait retrouvé, une cinquantaine de mètres en retrait de la scène du meurtre. Il gisait en position fœtale au fond d'une crevasse au pied de la montagne. Quand il s'en était approché, Arthur s'était mis à hurler et avait tenté de le griffer. Deux agents de la SQ étaient alors accourus. Malgré l'âge avancé d'Arthur, ils étaient difficilement parvenus à le maîtriser.

— C'est lui ? avait demandé le bénévole aux agents qui tentaient de fixer des menottes aux poignets de l'homme qui hurlait dans leurs oreilles.

Les deux agents s'étaient regardés.

— Aucune idée, avait grogné Lucien, le plus vieux des deux, en essayant de maintenir sa poigne sur le vieillard qui se débattait toujours. Il correspond au signalement, mais on n'a pas eu de photo.

— Il n'a pas l'air bien, avait dit le bénévole, le roi des affirmations en dessous de la réalité.

— Il a surtout l'air d'un fou, avait rétorqué bêtement l'agent Lucien en poussant Arthur en direction du véhicule de service.

— Attends avant de le mettre dans la voiture, avait dit son jeune coéquipier. Je vais vérifier s'il a des papiers d'identité sur lui.

Il avait trouvé, dans les poches du vieux, une carte avec sa photo et son nom. Arthur Thérien ne sortait jamais sans sa carte d'assurance maladie. Au cas où…

— Monsieur Thérien ! l'interpellait maintenant l'agent Yvon qui, assis sur le siège passager avant, se contorsionnait pour regarder derrière. Calmez-vous ! On ne vous veut pas de mal.

Arthur gigotait dans tous les sens, frappant violemment sa tête contre la banquette.

— Je ne veux pas… Pas le cerveau ! geignait-il à répétition. Non… Non !

L'agent Yvon était sidéré. C'était une jeune recrue sans expérience et il n'avait jamais assisté au spectacle de la folie.

— C'est ton premier « coco » ? lui avait demandé le vétéran Lucien, installé derrière le volant.

Le jeune homme, qui de nouveau regardait la route devant lui, était livide. Voyant son air hébété, l'agent Lucien avait éclaté de rire.

— Christ ! avait aussitôt sacré l'agent Yvon. Tu n'as pas de cœur ?

La violence avec laquelle son collègue lui avait posé la question avait obligé Lucien à redevenir sérieux.

— Écoute, le jeune, quand tu en auras vu autant que moi, tu comprendras.

Yvon l'avait fixé.

— Quoi ? s'était insurgé Lucien. Ça te choque ?

— Oui, ça me choque, avait fini par répondre le jeune qui depuis le début en avait marre de l'attitude de son

coéquipier. Ça me choque de penser qu'un jour je pourrais devenir indifférent aux souffrances des autres. Et ça
me choque encore plus de penser qu'un jour, je pourrais
finir par te ressembler.

Lucien l'avait regardé en secouant la tête, un sourire
en coin.

— Sais-tu ce qui me choque, moi ?

Yvon n'avait pas répondu.

— C'est d'être obligé d'écouter tes niaiseries !

Et le sergent Lucien avait éclaté de son rire tonitruant.

15

Dès qu'elle avait eu la nouvelle, Kate était passée prendre Todd aux quartiers de la SQ à Sherbrooke où elle l'avait déposé plus tôt ; celui-ci, au grand plaisir de Jolicœur, s'était porté volontaire pour examiner les multiples photos de la scène du crime.

Kate et Todd n'avaient pas mis le pied dans le poste de Brome-Perkins qu'ils entendaient les vociférations d'Arthur Thérien, même si on l'avait enfermé dans une des cellules au sous-sol de l'édifice.

— Ta mère a déjà fait des crises comme celle-là ? avait demandé Kate, perturbée par la démence des cris.

Todd avait secoué la tête négativement. Sa mère n'avait jamais haussé la voix de sa vie. En crise, elle se repliait sur elle-même, épiant le monde autour d'elle comme un oiseau apeuré. Puis quand la souffrance devenait trop grande, quand elle voulait fuir son propre corps, elle s'enfuyait de la maison, arrachant tout ce qui se trouvait sur elle, des vêtements jusqu'à la peau. Todd l'avait plus d'une fois retrouvée nue, recroquevillée par terre, griffée de la tête aux pieds.

— Les délires paranoïdes des schizophrènes sont différents d'un individu à l'autre, s'était-il contenté de répondre en poussant la porte.

Le Dr Pelland, qu'ils avaient contactée dès qu'Arthur Thérien avait été retrouvé, les attendait dans l'entrée. Mary Pettigrew l'avait accompagnée.

En arrivant devant la cellule, le groupe s'était figé. Le spectacle qu'offrait Arthur Thérien était renversant. Il était en proie à un tel combat intérieur que son visage en était déformé, ses traits tirés dans tous les sens, la peau comme agrippée par des mains invisibles.

Trudel, Labonté et Jolicœur, qui avaient rappliqué au poste dès qu'ils avaient eu vent de la nouvelle, avaient eu le temps de s'habituer au spectacle.

— Il est comme ça depuis son arrivée, avait dit Trudel au Dr Pelland comme pour remplir un vide.

— Mon Dieu ! s'était exclamée Mary. J'aurais dû me rendre compte quand je l'ai vu hier matin qu'il faisait une rechute. Pauvre homme… Il était en rémission depuis dix ans !

En rémission…, avait songé Kate pour elle-même, se rappelant avec douleur sa Nico. Une façon polie de dire que le mal qui nous habite prend des forces en attendant de nous achever pour de bon.

— Vous ne pouvez pas le garder ici plus longtemps, avait dit la psychiatre à Kate.

— Il a une force inouïe pour son âge, avait commenté Trudel. Ils ont dû se mettre à trois pour en venir à bout.

— Il était bûcheron autrefois, les avait informés Mary.

Kate s'était surprise à penser qu'elle n'aurait certainement pas voulu croiser cet homme une hache à la main.

— On peut faire quelque chose pour lui ? avait demandé Kate au Dr Pelland.

La femme avait secoué la tête.

— Il doit être placé sous surveillance médicale afin qu'on ajuste sa médication…

Kate avait regardé Trudel.

— Vous a-t-il appris quelque chose ?

— Pas un mot sensé, avait-il répondu. Mais les gars ont réussi à prendre ses empreintes… et son chandail est en route pour le Laboratoire, avait-il ajouté.

— On avait une raison de confisquer son chandail ? avait demandé Kate, étonnée.

— En tentant de le maîtriser pour relever ses empreintes, l'agent Yvon s'est rendu compte que son chandail était raidi par endroits. En observant bien, il a découvert des taches brunâtres.

Kate et Todd s'étaient regardés.

— Je n'ai pas pris de risques, avait continué Trudel. J'ai ordonné qu'on le confisque. Ça pourrait être du sang…

La phrase avait résonné dans la cellule aussi clairement qu'un verdict de culpabilité. Et dans les secondes qui avaient suivi, tout ce qu'on avait entendu, c'étaient les cris de souffrance du vieillard. Puis Mary Pettigrew avait ouvert la bouche.

— Oh, Arthur, avait-elle murmuré presque pour elle-même, qu'est-ce que tu as fait ?

16

Elle le regardait, affalé dans son vieux divan couvert de taches immondes, et elle aurait voulu vomir.

— Tu as réussi, lui avait-elle plutôt dit en retenant son envie et en esquissant un sourire. Tu peux être fier de toi.

L'homme lui rappelait son mari. Pas celui des premières années, bien sûr. Pas celui qui l'abrutissait jour après jour avec ses discours égotistes sur sa conception d'un monde idéal tout en n'appliquant rien de ce qu'il prêchait derrière les portes de sa chambre à coucher. Non. Il lui rappelait celui des dernières années. Celui qu'elle avait torché tandis qu'il baignait dans ses excréments, trop affaibli par la maladie pour même réclamer la bassine. Dieu, que j'ai haï cet homme ! songeait-elle en ce moment.

— Tu n'es pas fâchée ? avait-il alors demandé, plus mièvre qu'une guimauve, sa dixième bière en voie d'être vidée.

Elle avait presque perdu les pédales. L'idiot avait failli se faire prendre et il voulait savoir si elle était fâchée. Bien sûr, qu'elle l'était ! Et si elle avait pu, elle l'aurait étripé de ses propres mains. Mais elle était plus intelligente que ça. Elle n'allait pas tout gâcher en cédant à un moment de colère.

— Pourquoi ? avait-elle répondu. C'était ton plan. Ton idée. Tu pouvais faire comme tu l'entendais.

Il avait sourcillé. Juste assez pour qu'elle s'en aperçoive.

— Oui… mon plan…, avait-il finalement marmonné, vraisemblablement convaincu.

Mais elle était demeurée inquiète.

Depuis le début, elle se demandait s'il n'était pas plus intelligent qu'il ne le paraissait. La plupart du temps, il réagissait exactement comme elle l'avait prévu, mais il arrivait, comme à l'instant, qu'il ait des éclairs d'intelligence. Comme un rayon de lumière dans la brume. Et dans ces moments, le doute surgissait. Le manipulait-elle… ou était-ce lui qui la manipulait ?

Elle s'était levée et lui avait servi une nouvelle bière.

— J'ai une autre caisse dans le coffre de la voiture, avait-elle dit avec un clin d'œil.

Il l'avait regardée d'un air attendri.

— Toi, tu sais gâter ton homme…

— Je suis juste contente que tu sois sain et sauf, avait-elle dit, cherchant à le faire parler.

— Pas de danger, avait-il mordu à l'hameçon, vaniteux comme un coq. Si le vieux m'avait causé des problèmes…

Il s'était arrêté puis avait pointé un doigt dans sa direction.

— Pow !

Elle avait sursauté.

— Pas toi, avait-il dit en riant de sa réaction, le vieux…

Elle l'avait regardé étrangement.

— Tu restes avec moi, ce soir ? avait-il susurré, après un moment, lubrique. Ça vaut pas la peine qu'on fête ça ?

Elle avait frémi de la tête aux pieds.

Combien de temps encore lui faudrait-il endurer cet homme ?

17

Le jour même de son incarcération, Arthur Thérien avait été transféré au département de psychiatrie de l'hôpital Brome-Missisquoi pour y être traité. Quelques jours plus tard, après les demandes répétées des enquêteurs, le Dr Diane Pelland informait l'Escouade que le vieil homme répondait bien aux médicaments, mais qu'elle n'était pas en mesure d'indiquer à quel moment il serait possible de l'interroger. Elle les aviserait des progrès au fur et à mesure. En d'autres mots, il leur faudrait patienter pour comprendre ce qui s'était passé dans le défilé de Bolton.

L'inspecteur Trudel ayant été obligé de retourner au QG pour éteindre des feux, Kate respirait mieux. Non qu'elle croyait Trudel capable de leur infliger une évaluation négative. La chose aurait été surprenante. Le problème était que, malgré tous ses efforts, elle n'arrivait pas à s'habituer à la proximité physique de Paul. Chaque fois qu'il la frôlait, elle fantasmait qu'il l'écrase contre un mur et la prenne sauvagement. C'en était devenu ridicule. L'absence de Paul était donc bienvenue.

Cependant, cette absence provoquait d'autres remous chez Kate. Car Trudel était reparti en direction de Montréal… où vivait l'autre. Celle qui avait pris la relève.

Kate avait soupiré. Elle ne pouvait en toute justice en vouloir à Paul. Elle l'avait pratiquement poussé dans les bras de l'autre… Mais quand même, concluait-elle maintenant avec sarcasme en pénétrant dans la salle de réunion, il n'était pas obligé d'y aller !

— *Good morning…*, l'avait saluée Todd avec un air guilleret.

— *I bet you slept at your wife's place*, avait-elle répondu froidement à son salut.

La pensée que Todd avait encore une fois eu droit aux faveurs de sa femme tandis qu'elle séchait seule dans son lit l'avait tout simplement fait déraper.

— Quoi ? s'était exclamé Todd, plus surpris que choqué.

— Oublie ça, s'était-elle aussitôt reprise. Je me suis levée du mauvais pied. Alors… Où en est-on ?

Labonté et Jolicœur, qui avaient assisté bouche bée à leur échange, s'empressaient maintenant de faire le ménage des dossiers éparpillés sur la table.

— On a reçu le rapport de balistique…, avait dit Labonté en mettant la main dessus.

— Montre, avait lancé Kate, tendant la main.

Labonté lui avait remis le document, puis elle l'avait rapidement feuilleté.

— Carabine de chasse. Calibre 22…, lisait-elle maintenant pour leur information.

— Aussi bien questionner toute la population de la région, avait lancé Jolicœur en boutade. Il ne doit pas y avoir un seul foyer sans carabine dans le coin.

— Et autre bonne nouvelle, avait ajouté Kate avec sarcasme, la douille n'a pas été retrouvée.

— Si l'arme ne peut rien nous révéler pour l'instant, avait dit Todd, la blessure, par contre… Rappelez-vous. L'homme a été tiré en plein cœur. *Up close and personal*, avait-il ajouté.

Ils étaient tous restés silencieux, réfléchissant à ce qu'il venait de dire.

— Pas fou, avait avoué Kate, après un moment. Ce n'est pas aussi personnel qu'un couteau en plein cœur, mais tu pourrais avoir raison.

— Si c'est personnel, avait alors dit Jolicœur, qu'est-ce que les pentacles viennent faire là-dedans ?

— Tu t'es renseigné ? avait aussitôt demandé Kate à Todd.

— Oui, je suis allé rencontrer le caporal Leclerc de la Gendarmerie royale. Le responsable des enquêtes sur les sectes religieuses... Celui-là même qui m'avait renseigné sur le pasteur Jérémie et l'Église des pénitents. Ils n'ont rien sur une secte qui aurait le même M.O.[2] que dans notre affaire. Ni rien sur une secte qui pratiquerait des rituels sataniques dans notre région.

— Tu veux dire qu'ils connaissent l'existence de sectes qui font ça et ils ne font rien ? l'avait interrompu Labonté.

— On parle de gens qui égorgent des poulets, avait précisé Todd avec un sourire. Pas de sacrifices humains.

— Ne t'inquiète pas, avait dit Jolicœur en riant à Labonté. La SPCA[3] va les avoir !

— O. K., les petits gars, était intervenue Kate, on passe à autre chose. Todd ?

— D'après Leclerc, la balle en plein cœur, c'est atypique. Le couteau est l'arme privilégiée des rituels... habituellement, avait-il ajouté pour être plus précis.

— Donc, si je résume bien, avait commencé Kate, d'après tes recherches, Todd, il est peu probable que nos pentacles nous viennent d'une secte.

— *Right*...

---

2. *Modus operandi* : mode d'opération.

3. Société pour la prévention de la cruauté envers les animaux.

— Dans ce cas, nous aurions affaire à un cerveau dérangé, ou à une simple tentative de diversion...

Autour de la table, les enquêteurs acquiesçaient tous silencieusement.

— Et si, comme nous l'avait par ailleurs déjà suggéré Labonté, c'était une tromperie pour nous éloigner du véritable motif du crime... Qui avait des raisons de tuer cet homme ?

— A-t-on éliminé définitivement les opposants au centre ? demande Labonté.

— Pour l'instant... Concentrons-nous sur le fait qu'il s'agit peut-être d'un crime de nature personnelle.

— On peut éliminer la jalousie, avait dit Jolicœur un sourire aux lèvres. Avec l'histoire de la castration... Il ne devait pas faire grands jaloux !

La remarque avait provoqué un fou rire général.

— Et la jalousie professionnelle ? avait demandé Kate pour les remettre sur les rails.

— Possible, avait admis Todd. C'était une tête d'affiche après tout. Il faisait le *front page* du numéro précédent de *L'actualité*.

— Et financièrement... Qu'est-ce qu'on sait ? Avait-il des dettes ? Laissait-il un gros héritage ? Si oui, à qui ?

Jolicœur avait feuilleté son carnet.

— On a vérifié son bilan... L'homme n'avait pas de dettes. Et il semble avoir un assez beau portefeuille. On est toujours à la recherche de son testament...

Kate avait froncé les sourcils.

— Le notaire Beaudry avec lequel le Dr Claude Thérien faisait habituellement affaire nous a dit que son client ne lui avait jamais demandé de rédiger un testament. Cependant, comme il est le tuteur d'Arthur Thérien...

— Comment ça ? était intervenue Kate.

— On a eu la même réaction, avait enchaîné Jolicœur. Il paraît qu'Arthur Thérien s'était mis sous la tutelle de Beaudry tout de suite après son premier épisode de schizophrénie.

— Pourquoi pas sous la tutelle de son fils? avait demandé Todd, surpris.

— C'était à la suggestion de son fils. Il voyageait beaucoup à l'époque et il ne voulait pas que son père se retrouve dans le besoin s'il n'était pas joignable. Et Beaudry était un vieil ami de la famille.

— Alors le testament..., avait rappelé Kate à Labonté.

— Ah, oui..., avait-il dit en remettant le nez dans ses notes. Comme Arthur Thérien est le seul héritier légal connu de Claude Thérien, le notaire Beaudry fait présentement faire une recherche de testament. Il va nous avertir dès qu'il obtient une réponse.

Kate avait regardé sa montre. Déjà la moitié de la journée partie en fumée et pas une seule piste à l'horizon. À part celle du père schizophrène qui aurait tué son fils... Une hypothèse que Kate acceptait difficilement.

18

Après la réunion, les tâches de chacun distribuées, Kate avait ressenti le besoin de se retrouver seule. Et le bois de Serenity Gardens lui avait semblé l'endroit idéal.

La forêt qui bordait les jardins à l'arrière du centre jaillissait directement d'un conte de fées. Composée d'un mélange impressionnant d'essences, elle n'avait pas la densité étouffante de certaines forêts. Elle respirait. Chaque arbre étalait ses branches comme un chat qui s'étire. Et le charme des lieux était doublement spectaculaire du fait que la nature était en plein éveil.

Après l'hiver le plus rigoureux qu'ils aient connu depuis des années, le printemps était enfin arrivé et, partout où les yeux de Kate se posaient, la nature explosait dans une palette de verts acidulés. Et les odeurs qui exhalaient de la terre... Kate n'en était pas revenue. En s'engageant dans les sentiers qui sillonnaient entre les poussées de roc, elle avait songé que la magnificence de l'endroit était sûrement un traitement en soi. Peut-être trouverais-je des réponses à mes interrogations, s'était-elle même imaginé.

Car des questions, elle en avait.

À commencer par l'emploi du temps du Dr Thérien, dans les vingt-quatre heures avant sa mort. Malgré les recherches effectuées par les membres de son équipe, ils n'avaient toujours aucune idée de la manière dont le docteur s'était occupé le jeudi précédant sa mort.

Il ne s'était pas présenté au centre, mais il n'y avait là rien d'anormal, puisqu'il n'y allait pas nécessairement tous les jours. Il n'avait pas été vu par ses voisins, et là encore, rien d'inhabituel, car il habitait à l'extérieur du village, dans une propriété de cinq acres. Et, après avoir fouillé sa maison de fond en comble, ils n'avaient découvert aucun indice pouvant leur indiquer à quelles activités il aurait pu se livrer jusqu'à l'heure de sa mort. Tout ce qui avait retenu leur attention, c'est son lit défait, un indice qui ne prouvait rien puisque certaines personnes ne font jamais leur lit, et son cellulaire qui demeurait introuvable. Ils avaient aussitôt réquisitionné de la compagnie de téléphone une liste détaillée des appels reçus ou issus du cellulaire du Dr Thérien. En attendant... Rien.

Et rien non plus du côté des témoins.

Personne ne semblait avoir vu ni entendu quoi que ce soit d'anormal dans la Bolton Pass le matin du meurtre. Excepté, bien sûr, l'homme qui avait découvert le corps et le père de la victime... qui n'avait pas toute sa tête et pouvait très bien être l'auteur du crime.

Kate grommelait en marchant dans les sentiers. Cette affaire lui échappait littéralement.

D'un côté, un crime devant lequel n'importe quel néophyte aurait crié «rituel satanique», mais qui, au dire des spécialistes, serait atypique et peu probable dans la région. Et de l'autre côté, un schizophrène en rechute qui, pour un motif dépassant l'entendement, pourrait avoir tué son fils dans un délire meurtrier. Cependant, comme l'avait dit Marquise Létourneau, trois pour cent seulement des schizophrènes pouvaient être un danger pour leur entourage.

Kate nageait en pleine confusion. Les analyses de la chique laissée sur la scène et celles des taches sur la chemise d'Arthur devraient nous éclairer davantage, s'était finalement encouragée Kate.

Mais Kate était partagée quant à la culpabilité du père. Bien sûr, dans son délire, Arthur aurait pu disposer les pentacles et mutiler le front de son fils… Mais la disposition des pentacles indiquait une certaine organisation. Un schizophrène en plein délire meurtrier était-il capable d'une organisation semblable ? Par ailleurs, le côté méthodique de la scène pouvait être le signe d'un comportement obsessionnel…

Cela faisait maintenant plus d'une heure que Kate déambulait dans sa tête et la perspective de pouvoir bientôt s'abreuver à même la source qu'elle croyait entendre couler à proximité lui avait fait presser le pas.

— Ce n'est pas trop tôt, avait dit Kate à voix haute en voyant enfin apparaître, au tournant d'un sentier, non pas une source, mais une petite rivière aux eaux agitées.

— Ça dépend…

Kate avait immédiatement mis la main sur son Glock, enfourné dans l'étui attaché à sa ceinture. Sur ses gardes, elle avait regardé en direction de la provenance de la voix.

— Oui… Ça dépend de notre degré de patience.

Kate avait aussitôt abandonné l'idée de sortir l'arme de son étui. Assise sur un tronc d'arbre gisant au bord de la rivière, une jeune fille, une canne à moucher solidement appuyée au creux de son épaule, fouillait patiemment dans une petite boîte en métal à la recherche d'un nouvel appât.

— Tu es sur un terrain privé, avait dit Kate en s'approchant.

— Je sais…

— Tu as la permission de pêcher ici ?

La jeune fille s'était tournée lentement et avait planté ses yeux dans ceux de Kate.

L'effet avait été instantané.

Et comme tous les autres avant elle, Kate avait reculé sous le choc. Elle n'est pas de ce monde, avait-elle aussitôt songé.

Cette pensée traversait la tête de tous ceux sur qui se posaient, pour la première fois, les yeux céruléens d'Élisabeth Collard. Il faut dire que les yeux démesurément grands et démesurément bleus de la jeune fille créaient une impression surréelle dans un si minuscule visage. Et quand on ajoutait au portrait de l'enfant sa peau translucide qui réfléchissait la lumière lunaire et sa frêle ossature, encadrée de longs cheveux noirs filamenteux, l'effet était pour le moins déroutant.

Il avait, en tout cas, fait jaillir en Kate toute la panoplie des terreurs de l'enfance.

— Vous allez en revenir, avait dit l'apparition. Ils en reviennent tous…, avait-elle ajouté en se remettant à fouiller dans le coffret posé sur ses genoux.

Une extraterrestre, n'avait pu s'empêcher de penser Kate. Avec son teint blanc et ses yeux, elle me rappelle les extraterrestres qui ont peuplé l'imaginaire de mon enfance.

Le choc passé, Kate avait toutefois remarqué à quel point toute cette étrangeté conférait une beauté exceptionnelle à la jeune fille.

— Je suis une résidente de Serenity Gardens, avait dit la jeune fille en mettant enfin la main sur l'appât qu'elle cherchait. C'est un *bomber* modifié, hameçon simple, numéro 18, avait-elle informé Kate, satisfaite. C'est une mouche sèche à saumon, mais je l'ai adaptée pour la truite. Et ça marche, avait-elle précisé comme quelqu'un qui est habitué à se faire contredire.

Quel âge peut-elle avoir ? s'était demandé Kate, se rendant compte que c'était pour cette raison que, dès le départ, elle ne l'avait pas prise pour une résidente. Comme si la maladie mentale n'était qu'une affaire d'adulte…

— Pas très causante, avait commenté la pêcheuse.

Oubliant sa soif, Kate était allée rejoindre la jeune fille sur le tronc d'arbre.

— Je suis le lieutenant Kate McDougall de la Sûreté du Québec, avait-elle dit en s'asseyant.

— Moi, je suis Élisabeth Collard, avait répondu la jeune fille en terminant le nœud qui retiendrait la mouche au fil de nylon. J'ai quatorze ans... et je suis la reine de la rivière, avait-elle ajouté en se levant et en commençant à moucher.

Connaissant la difficulté du lancer à la mouche, Kate n'avait pu s'empêcher de l'admirer. Sa dextérité était remarquable. Avec la grâce d'un battement d'ailes, Élisabeth parvenait à déposer sa mouche à la surface de l'eau, comme s'il s'agissait d'une plume, sa soie déroulée bien droite devant.

— Tu es venue m'arrêter ? avait demandé Élisabeth.

— Pardon ? avait dit Kate, abasourdie.

— Tu es de ceux qui considèrent que c'est monstrueux de pêcher ?

Kate avait éclaté de rire.

— Non..., avait-elle fini par articuler, son hilarité disparue. J'enquête sur le meur... les circonstances entourant la disparition d'Arthur Thérien, s'était-elle ravisée.

— Oh..., avait dit la jeune fille, concentrée sur sa mouche qui descendait le courant, je croyais que vous l'aviez retrouvé.

— Oh oui, s'était empressée d'ajouter Kate. Seulement, on cherche à comprendre... les raisons de sa disparition. Quand l'as-tu vu pour la dernière fois ?

Élisabeth n'avait pas répondu tout de suite, occupée à retirer la ligne de l'eau et à la lancer de nouveau, avançant de quelques pas dans la rivière.

— J'ai vu Toto au déjeuner, le jour de sa disparition...

— Toto ? avait demandé Kate, déboussolée.

Élisabeth s'était tournée vers elle en souriant.

— Arthur, c'est Toto. Toi, ça va être… Kat. Et Mary Pettigrew…

Élisabeth avait pouffé de rire.

— C'est Pet, avait terminé Kate qui avait deviné.

— Je sais, c'est enfantin, avait dit la jeune fille avec le plus grand sérieux. Chaque fois que ma mère me rend visite, elle n'arrête pas de me le répéter. Mais comme elle ne vient pas souvent… j'oublie ! avait-elle ajouté en riant.

Kate s'était relevée. Elle avait terriblement envie de faire l'école buissonnière en compagnie de la jeune fille, mais elle devait rejoindre les sergents Labonté et Jolicœur à la morgue de Montréal, où ils avaient rendez-vous avec Branchini pour discuter des résultats de l'autopsie. Comme ils ne s'attendaient à rien de surprenant, Kate aurait normalement laissé le travail aux deux sergents, mais voilà, elle avait promis de souper avec Sylvio et les enfants.

— Tu n'as pas peur de te perdre sur le chemin du retour ? avait-elle demandé à Élisabeth, inquiète du sort de la jeune fille.

— Tu n'as pas vu les panneaux indicateurs dans la forêt ?

— Oui, mais il ne doit pas y en avoir dans toute la forêt, avait précisé Kate.

— Exact. Mais je sais reconnaître une clôture quand j'en vois une !

Il n'était jamais venu à l'idée de Kate que le périmètre du site pouvait être clôturé.

— Surprise ? avait demandé la jeune fille, l'air coquin.

Kate avait ri.

— Même les fous peuvent être intelligents, avait ajouté Élisabeth avant de se concentrer à nouveau sur la rivière.

Kate n'avait rien ajouté. Elle se sentait trop bête pour le faire.

19

Debout en retrait, au fond du bureau, le sergent Todd Dawson attendait patiemment que le Dr Pelland termine sa conversation téléphonique avec sa secrétaire.

De la fenêtre du bureau, quelques instants plus tôt, Todd avait vu Kate quitter Serenity Gardens, et il observait maintenant Mary Pettigrew qui s'entretenait avec le préposé prénommé Normand. Il avait souri en imaginant le couple étrange qu'ils pourraient former.

— Très bien, disait la psychiatre. Vous pouvez confirmer ma disponibilité pour l'entrevue avec le journal *Psychologie*. Et… renseignez-vous sur la tenue vestimentaire de rigueur au souper d'honneur… C'est déjà assez gênant de monter sur scène pour recevoir un prix…

Diane Pelland avait raccroché sans terminer sa phrase et s'était tournée vers Todd.

— À nous ! avait-elle lancé.

Todd s'était approché du bureau.

— Excusez-moi, avait-elle dit. Je suis vraiment embêtée. À vrai dire, je ne sais plus où donner de la tête. Vous comprenez, avec la mort de Claude, c'est moi qui dois maintenant prendre toutes les fonctions officielles sous ma responsabilité. J'espère que je ne vous ai pas ennuyé avec cette conversation…

Todd avait haussé les épaules.

— J'écoutais d'une oreille... distraite, avait-il ajouté sciemment.

La vérité est que Todd avait enregistré mentalement chaque mot que la psychiatre avait dit. Chaque glousse-ment de plaisir... Curieux réflexe pour quelqu'un qui se dit embêté, songeait-il maintenant.

— Vous aviez des questions ? avait enchaîné la théra-peute en regardant ostensiblement sa montre.

Todd avait fait mine de ne pas s'en apercevoir et s'était assis dans l'un des sièges pour visiteurs. Le Dr Pelland n'avait pu retenir un rictus de contrariété.

— Docteur, avait commencé Todd en fouillant dans son calepin à la recherche d'une page blanche, connais-siez-vous des ennemis au Dr Thérien ?

La femme avait paru surprise par la tournure de l'interrogatoire.

— Des ennemis ? Assez ennemis pour le tuer ? avait-elle ajouté.

— Exactement.

Diane Pelland avait réfléchi quelques secondes.

— Peut-on jamais croire que quelqu'un puisse haïr au point de tuer ? avait-elle demandé en guise de réponse.

— Des gens meurent tous les jours de la main de quelqu'un qui les hait.

— Je me suis mal exprimée. J'aurais dû dire... Peut-on croire que quelqu'un qu'on connaît soit capable de meurtre ?

Todd avait hoché la tête.

— Je vais vous poser la question autrement. Sans penser au meurtre, lui connaissiez-vous des ennemis ? Des gens qui auraient pu lui en vouloir, pour une raison ou pour une autre ?

Encore une fois, la psychiatre avait pris son temps avant de répondre.

— Vous savez, Claude Thérien était un grand homme. Un homme comme on en voit peu aujourd'hui. Il a sacrifié sa vie à son combat.

Todd l'avait interrogée du regard.

— Il était déterminé à abolir une fois pour toutes les préjugés et les tabous entourant la maladie mentale. Et il était prêt à tout sacrifier pour cet objectif.

Todd avait froncé les sourcils.

— Même ses collaborateurs ?

Le Dr Pelland avait frémi à la question. Todd en était certain.

— Qu'entendez-vous par cette question ? avait-elle demandé froidement.

Todd l'avait détaillée des yeux avant d'enchaîner. Il aurait voulu percer son regard impassible, mais elle était maintenant sur ses gardes.

— Derrière chaque grand homme, il y a une foule de collaborateurs. Quelquefois des gens très talentueux, mais qui n'ont pas le charisme nécessaire pour véhiculer leurs idées. Aux yeux de ces collaborateurs, le Dr Thérien aurait pu paraître comme un opportuniste. Ou même un voleur d'idées...

Le Dr Pelland l'avait jaugé du regard avant de répondre.

— Je n'ai jamais eu connaissance de tels collaborateurs.

Todd avait refermé son carnet.

— Eh bien, dans ce cas, avait-il dit en se levant, je crois que notre entretien est terminé.

Puis il avait posé la main sur la revue *L'actualité* qui traînait encore sur le bureau de la thérapeute.

— J'ai lu l'article sur le Dr Thérien. C'est bien ce qu'ils disent de lui. Un grand homme, un novateur, le psychiatre du millénaire... L'homme aura au moins eu droit à la reconnaissance avant de mourir.

Puis Todd avait planté ses yeux dans ceux de Diane Pelland.

La psychiatre n'avait pas cillé.

20

En ouvrant la porte de la salle d'autopsie, Kate avait eu le souffle coupé. En quelques semaines à peine, Branchini avait vieilli de dix ans. Le poids de sa tristesse avait eu raison de son visage juvénile et de son corps gracile. La mort de Nicoletta sapait sa vie.

— Kate, avait dit Sylvio en la voyant.

Elle avait tenté de sourire, mais son effort avait eu l'effet contraire. Elle avait failli fondre en larmes. Heureusement, les sergents Labonté et Jolicœur étaient arrivés à cet instant.

— Ah, vous voilà enfin ! avait dit Kate avec fermeté, tentant de reprendre le pas sur ses émotions.

Elle avait été arrêtée dans son élan. À voir l'hésitation des agents à pénétrer plus avant dans la salle, elle avait compris qu'eux aussi étaient ébranlés par l'allure de Branchini.

Sans un mot, le pathologiste avait délaissé le dossier sur lequel il travaillait et s'était dirigé vers les compartiments réfrigérés où les corps étaient conservés. Avec un geste d'habitué, il avait tiré sur le lourd tiroir marqué « Dr Claude Thérien ».

— Cause du décès…, avait-il commencé sans préambule, mort par balle. Il est mort sur le coup. Le projectile a traversé le cœur.

Kate avait frissonné, songeant que la mort de Nico avait traversé le cœur de Sylvio aussi sûrement qu'une balle.

— À bout portant ? demandait maintenant Jolicœur qui s'intéressait à la coloration de la peau autour du point d'entrée du projectile.

— Exact. Ce sont des brûlures que vous voyez… L'arme a été appuyée contre la poitrine de l'homme. Il y avait aussi des résidus de poudre.

Kate avait regardé ses hommes.

— Est-ce qu'il y avait des traces de poursuite ou de lutte sur la scène ? les avait-elle interrogés.

— Personne n'a rien remarqué…, avait commenté Jolicœur.

— Et Todd en aurait fait mention s'il avait vu quoi que ce soit sur les photos, avait terminé Labonté.

— Il a des marques sur les bras ? avait demandé Kate à Sylvio.

— À part le pentacle sur le front et les points d'entrée et de sortie du projectile… Aucune marque. Pas la moindre contusion.

— En d'autres mots, avait conclu Jolicœur, notre homme n'a pas été retenu de force.

Qu'est-ce qui avait bien pu se passer pour qu'un homme se laisse tirer à bout portant en plein champ sans tenter de se défendre ni même de fuir ? s'interrogeait Kate de plus en plus confuse.

— Et la mutilation au front ? avait demandé Jolicœur.

Branchini s'était penché sur le visage de l'homme, examinant une fois de plus le symbole inscrit dans la chair.

— Post mortem… Le tueur s'est appliqué. Il a exercé une pression égale sur le couteau dont il s'est servi. Les branches de l'étoile sont bien droites et ont la même profondeur. Et il a vraisemblablement utilisé un objet pour tracer le cercle autour du pentagramme.

Kate avait aussitôt regardé Labonté et Jolicœur.

— On s'en occupe, avait dit Labonté, lisant dans les pensées de Kate. Tout ce qui a été collecté sur la scène est au Labo.

— L'objet doit avoir un diamètre de vingt-cinq millimètres, les avait informés Branchini avant qu'ils ne franchissent les portes battantes et ne s'éloignent dans le corridor.

— As-tu une opinion ? avait demandé Kate à Branchini, une fois seule avec lui.

— La même que toi, avait-il dit, presque en souriant.

Kate avait été momentanément soulagée. Le travail réussissait malgré tout à sortir Sylvio de sa douleur.

— Le coup au cœur à bout portant, c'est personnel, avait-il conclu. Se servir d'un objet pour tracer le cercle, ça montre une certaine préméditation. Et l'application à le faire...

— Soit une mise en scène..., avait poursuivi Kate, soit un comportement obsessif.

— Avez-vous un suspect ?

Kate avait soupiré lourdement.

— Le père de la victime... Un schizophrène en rechute.

Sylvio avait sourcillé.

— Je sais... Seulement trois pour cent...

— Vous avez des indices l'incriminant ? avait questionné Branchini.

— Il a été retrouvé caché près de la scène. En pleine crise.

— Oh...

Kate avait de nouveau posé son regard sur le corps de la victime.

— Tu as une idée de l'origine de la castration ? avait demandé Kate, intriguée par ce détail.

Sylvio avait baissé le drap plus bas, découvrant ce qui restait de l'appareil génital de l'homme. Deux testicules atrophiés et un moignon de pénis.

— La castration est chirurgicale. Du bon travail… à ce que je peux en juger.

— Peux-tu en déterminer la cause ?

— Ça pourrait être pour des motifs médicaux. Mais les causes pourraient être nombreuses… J'ai même déjà vu une castration à la suite d'un accident de voiture !

— Ouch !

— Oui…, avait acquiescé Sylvio, le sourire aux lèvres. Difficile de juger pour notre homme. Tout ce que je peux te dire, c'est que la chose est relativement récente.

— Récente ? avait répété Kate.

— Récente dans le sens que ça ne s'est pas passé pendant sa croissance… Et la cicatrisation remonte à quelques années tout au plus.

Kate avait hoché la tête.

— Ce qui est étonnant, c'est qu'il est resté comme ça. Il aurait pu facilement se faire reconstruire un pénis. En tout cas, moi, c'est la première chose que j'aurais faite.

— Ce n'est pas surprenant, avait dit Kate en riant. Nico…

Et elle s'était arrêtée net.

Le moment de silence qui avait suivi avait été intolérable. Sans un mot, Sylvio avait remonté le drap sur le visage de la victime et avait refermé le tiroir. Puis, comme un automate, il s'était dirigé du côté de la salle d'autopsie pour prendre ses affaires. Kate l'avait suivi, anticipant avec détresse le souper à venir. Mais parvenu aux portes battantes, Sylvio s'était tourné vers elle et avait dit :

— Ce n'est pas en faisant semblant qu'elle n'a jamais existé qu'on va tous guérir. C'est en pleurant chaque fois qu'elle nous manque et en riant chaque fois qu'on se souvient de ses bons coups. Et quand on aura beaucoup ri et beaucoup pleuré…

Sans terminer sa phrase, il avait poussé énergiquement sur les portes battantes, laissant le passage grand ouvert.

21

Kate et Sylvio n'avaient pas mis les pieds dans le couloir menant au stationnement qu'ils croisaient Trudel et sa charmante Julie, partant eux aussi en direction de leurs voitures.

— Inspecteur, l'avait salué Kate sur un ton très professionnel.

Trudel avait rapidement hoché la tête, s'intéressant plutôt à Branchini.

— Comment ça se passe avec les enfants ? lui avait-il demandé avec sollicitude.

Sa question avait étonné Kate. Pour elle, il était étrange que Paul s'intéresse aux enfants. Non qu'il ait été sans cœur, mais elle ne l'avait jamais connu comme un homme de famille. Elle ne se rappelait même pas avoir déjà eu des conversations avec lui au sujet d'enfants... autres que des victimes, bien entendu.

— Ils survivent, avait répondu Sylvio, un pâle sourire aux lèvres. Marco est devenu un homme, Victoria a pris la place de sa mère et Isabella... Isabella voudrait se réveiller de ce cauchemar et trouver sa mère à ses côtés.

Trudel avait pressé l'épaule de Branchini sans rien dire, préférant le silence aux paroles convenues. Sylvio lui en avait été reconnaissant.

— Si vous avez besoin de quoi que ce soit, avait glissé Julie timidement.

— Je suis là, avait laissé tomber Kate comme un couperet, surprenant tout le monde.

Trudel l'avait fusillée du regard puis avait rapidement salué Sylvio et entraîné Julie vers la sortie. Avant que la tempête n'éclate.

Le couple disparu, Sylvio avait fixé Kate.

— Si vous avez besoin de quoi que ce soit, s'était moquée Kate en reprenant d'une petite voix mièvre les paroles de Julie.

Sylvio avait continué de la fixer.

— Quoi ? avait jappé Kate sur la défensive.

Le pathologiste avait secoué la tête en signe de découragement.

— *Cara*…, avait-il finalement dit. Je ne suis pas le seul à avoir un deuil à faire.

Kate avait voulu répliquer, mais Sylvio l'avait prise fermement par le bras et l'avait poussée gentiment vers la sortie.

Elle devait, elle aussi, prendre sa pilule.

22

Élisabeth était arrivée trop tard dans la vie de Madeleine Collard.

Bien sûr, à sa façon, Madeleine aimait sa fille, mais elle ne parvenait pas à ressentir cette connexion qui existe naturellement entre une mère et son enfant. Elle en avait presque eu peur en la voyant la première fois. Lorsque, à sa naissance, ils l'avaient déposée sur son ventre. Dégoulinante. Elle l'avait crue morte… Noyée dans son placenta.

Oui, Élisabeth avait toujours été une étrangère pour elle. Même avant l'histoire du cahier…

Élisabeth venait d'avoir douze ans. Madeleine avait bien remarqué que sa fille était différente depuis un certain temps, mais elle avait mis ses sautes d'humeur, sa musique qu'elle faisait jouer à tue-tête et son hygiène corporelle défaillante sur le compte de sa puberté précoce… et de sa propre incapacité à entrer en relation avec elle. Du moins, jusqu'à ce qu'elle trouve, caché sous le lit d'Élisabeth, un grand cahier noir à spirale.

Cet objet, dont elle ignorait l'existence, elle avait d'abord hésité à le feuilleter. S'agissait-il du journal intime de sa fille ? Élisabeth subissait de tels changements hormonaux depuis un moment, peut-être avait-elle ressenti le besoin de se confier dans un journal ?

Madeleine Collard pouvait la comprendre. Sa propre adolescence avait été un enfer. Un magma de confusion et de peurs. Et comme Élisabeth, elle n'avait pu chercher refuge auprès de sa mère.

Elle avait donc failli remettre le cahier sous le lit sans l'ouvrir, mais son format inhabituel l'avait, tout à coup, intriguée. Trop grand pour un journal intime, avait-elle soudain pensé. Davantage un cahier à dessins…

Sa curiosité l'avait emportée.

Jetant un regard vers la porte entrouverte de la chambre pour s'assurer de ne pas être surprise par sa fille, elle avait ouvert le cahier.

Le choc avait été immédiat.

Page après page, elle avait scruté l'écriture de sa fille à la recherche d'un symbole familier, voulant désespérément donner un sens à la calligraphie indéchiffrable qu'elle avait sous les yeux. Progressivement, cependant, les visages tordus de souffrance, griffonnés en rouge au hasard des lignes, tels des graffitis ensanglantés, avaient eu raison de ses arguments.

Et elle avait finalement compris. La schizophrénie maternelle réclamait une nouvelle victime. Un drame de plus dans la vie de Madeleine Collard.

Un drame de trop.

Alors, en arrivant au centre, ce jour-là, voyant Élisabeth accroupie sur un des bancs du parc le visage de nouveau pensif, Madeleine Collard avait failli rebrousser chemin. Une autre mauvaise journée, avait-elle songé avec dépit.

— Bonjour, avait-elle cependant dit machinalement en s'asseyant près de sa fille.

Élisabeth n'avait pas bougé.

— Élisabeth ? l'avait-elle interrogée, plus irritée qu'inquiète.

Comme par magie, Élisabeth était alors sortie de sa torpeur et lui avait souri.

— Maman ! s'était-elle exclamée en l'étreignant.

Puis elle avait couvert son visage de baisers.

La chose avait surpris Madeleine, les médicaments ayant habituellement tendance à rendre sa fille amorphe. Cette soudaine agitation n'était sûrement pas un bon présage.

— Tu sembles... excitée, avait-elle dit avec précaution à sa fille tout en lui repoussant la mèche qui cachait son œil droit. Il est arrivé quelque chose de spécial ?

Élisabeth avait hoché la tête.

— J'ai rencontré quelqu'un...

— Tu as rencontré quelqu'un..., avait répété Madeleine, sceptique.

Élisabeth l'avait fixée un moment avant de parler.

— Pas dans ma tête, maman. Pour vrai.

Madeleine Collard avait souri bêtement, ne sachant trop quelle attitude adopter.

— Je prends mes médicaments, avait insisté sa fille. Tous les jours. Les voix ont presque toutes disparu et celles qui restent..., avait-elle ajouté, sont en sourdine. Juste du bruit de fond. Des acouphènes..., avait-elle tenté de blaguer.

— Elle dit vrai, avait confirmé Mary derrière elles.

Madeleine et sa fille s'étaient retournées. Mary Pettigrew les regardait, un large sourire aux lèvres, un sac de branchages à la main.

— Oh, Mary... On ne vous avait pas entendue arriver, avait dit Madeleine Collard, étonnée.

Mary avait ri.

— C'est parce que j'étais là depuis le début de votre conversation, penchée dans le jardin à ramasser les cochonneries de l'hiver. Alors, ma belle Élisabeth... Tu as rencontré quelqu'un de nouveau ? avait-elle enchaîné, encourageant la jeune fille à parler.

— Le lieutenant Kate McDougall, avait-elle dit fièrement.

Mary avait balancé la tête tristement.

— Le lieutenant n'est pas venue au centre aujourd'hui...

— Ce n'est pas vrai. Je l'ai vue. Au bord de la rivière ! criait maintenant Élisabeth, frustrée qu'on ne la croie pas.

— Qu'est-ce que tu faisais là ? avait aussitôt demandé Madeleine Collard. Tu sais que tu n'as pas la permission d'aller dans le bois.

— Mais, maman !

— Il n'y a pas de « maman ! », avait dit Madeleine à sa fille en l'entraînant à l'intérieur du centre. Tu connais les règles !

— Ce sont tes règles ! Pas celles du centre...

Mary les avait regardées disparaître à l'intérieur sans rien ajouter. Puis elle s'était tournée vers la forêt. Qu'est-ce que le lieutenant McDougall avait bien pu aller faire dans le bois ? s'était-elle demandé.

23

Du salon, où il était posté devant les fenêtres ouvrant sur la terrasse, Paul Trudel regardait Julie faire des allers-retours dans la cuisine. Il réfléchissait à combien elle était différente de Kate. Il n'avait jamais vu Kate s'activer de la sorte dans la cuisine. Kate était bonne cuisinière, certes, mais la chose l'intéressait peu. Sa vie était entièrement centrée sur son métier.

— J'ai envie de faire des pâtes au citron pour accompagner le veau. Ça te va ? avait demandé Julie en enfournant la pièce de viande.

— Comme tu veux, avait répondu Paul distraitement, perdu dans ses pensées, le regard maintenant tourné vers les immeubles illuminés du centre-ville de Montréal.

De la cuisine, Julie avait jeté un œil en direction de Paul. Elle pouvait toujours deviner s'il avait croisé Kate, ou même s'il lui avait parlé. Il devenait distant et se perdait dans d'interminables réflexions. Exactement comme aujourd'hui.

— Pauvre Sylvio, avait-elle dit en se remettant à la tâche. Il semblait beaucoup aimer sa femme.

Paul était resté muet, souhaitant que la conversion meure. Il n'avait pas eu cette chance.

— Et on dirait qu'il n'y avait pas que sa femme qui l'aimait…, avait ajouté Julie.

Il comprenait qu'il n'y échapperait pas. Prenant une grande inspiration, il était venu s'appuyer contre l'arche de la cuisine.

— Qu'est-ce qui te chicote ? avait-il demandé, résigné.

Julie s'était tournée vers lui.

— Tu me le demandes ?

Trudel avait porté la main à son front. Il n'échapperait pas à la migraine non plus.

— Julie… Je ne suis pas responsable des sautes d'humeur de Kate.

— Je sais. Mais tu ne penses pas qu'il est temps qu'elle laisse aller les choses ? On dirait que tu trouves son comportement normal.

Normal pour Kate, avait songé Trudel.

— On dirait que ça te plaît…

Ça y est, nous y sommes, avait constaté Trudel sans colère. Car il ne pouvait lui en vouloir. Julie était de vingt ans sa cadette et elle était en droit d'avoir dans sa vie un homme voué entièrement à elle. Quelqu'un qui est prêt à fonder une famille…

— Ça ne me plaît pas, avait dit Paul calmement. Mais ça ne me plaît pas non plus de voir souffrir quelqu'un pour qui j'ai de l'affection.

— De l'affection ? avait répété Julie, sceptique, avant de retourner à ses plats.

Elle a raison de douter, avait songé Paul. Pas plus que Kate, je ne parviens à laisser aller les choses. Mais est-ce pour autant de l'amour ? La question le torturait depuis le moment où il avait permis à Julie de revenir dans sa vie. Julie que Kate avait détrônée pendant quelque temps, mais qui avait repris sa place.

Paul était certain d'avoir aimé Kate, mais l'incapacité de celle-ci à entrer en relation avec lui avait graduellement élimé son amour. Puis, la chaleur et la tendresse de Julie avaient eu raison du reste. Il savait qu'il n'aimerait jamais Julie autant qu'il avait aimé Kate mais, après tout, était-ce si important ? Il était heureux avec Julie. La vie était simple. Reposante. Pas à l'image de son métier.

— Paul ? Je t'ai parlé…

— Excuse-moi…, avait-il dit, visiblement contrit. Je… j'ai terriblement mal à la tête.

— Oh, mon chou…, avait aussitôt réagi Julie, oubliant toute récrimination. Va t'étendre dans la chambre. Je vais aller chercher tes comprimés…

Et elle était tout de suite partie à leur recherche.

En s'étendant sur le lit, Paul s'était dit qu'au fond il ne pouvait pas demander mieux. Julie était jeune, belle, aimante. Comment ne pas l'aimer ?

24

La maison, autrefois si pleine de la vitalité de Nico, semblait déserte. Comme une chape de plomb, la peine imprégnée dans tous les gestes de ses habitants, et jusque dans le regard de chaque animal domestique, accablait ceux qui y pénétraient. Kate n'y avait pas échappé.

— Je t'ai préparé des *gnocchi*, disait maintenant Victoria en déposant l'assiette de service sur la table. Comme tu les aimes. Comme maman les faisait…

Kate aurait voulu fuir. La place vide de Nico au bout de la table. Les efforts de Victoria pour que tout soit normal. Les grands yeux ronds d'Isabella. Le visage composé de Marco tentant de tenir le fort. Et Sylvio… Sylvio courbé sur son assiette, le regard perdu vers des temps meilleurs.

— Ils sont très bons, était finalement parvenue à articuler Kate. Ta mère serait fière de toi.

Le visage de Victoria s'était illuminé.

— Tu crois ? avait-elle demandé, pleine d'espoir.

— J'en suis certaine, avait dit Kate, prenant soudain conscience que Nico serait toujours vivante. À travers Marco, Isabella, Victoria…

Puis, comme par magie, Nicoletta avait repris sa place à table.

— Tu te souviens du Noël, avait dit Sylvio, où Nico avait invité son cousin Giovanni ?

À ce souvenir, Kate avait éclaté de rire. Suivi aussitôt du reste de la famille. La soirée en question avait été un vrai désastre. Le cousin, qui harcelait Kate sans relâche, avait fini par l'écraser contre le mur du salon, lui susurrant à l'oreille toutes les délices qu'il se croyait en mesure de lui procurer. Il avait frappé à la mauvaise porte. Pour s'en débarrasser, elle lui avait asséné un coup de genou entre les jambes, et le pauvre s'était, au vu et au su des autres invités, écroulé de douleur devant le sapin.

— Ce n'est pas parce que Nico n'a pas essayé de me trouver un amoureux que je n'en ai pas, avait lancé Kate en continuant de rire.

L'hilarité de chacun avait fini par s'estomper, mais le reste du souper s'était déroulé sans tristesse. Kate avait interrogé chacun des enfants sur leur vie sociale, évitant adroitement le sujet plus délicat des résultats scolaires, ceux-ci ayant inévitablement souffert des événements. Après le souper, Victoria avait insisté pour que Kate et Sylvio se retirent au salon, comme ils avaient l'habitude le faire quand Nico vivait.

— *Carissima*, avait simplement dit Sylvio, maintenant qu'ils étaient confortablement installés, un verre de grappa à la main. Merci.

Kate avait haussé les épaules, mal à l'aise. Combien de fois cette famille l'avait-elle sauvée d'elle-même ? Non, Sylvio n'avait pas besoin de la remercier.

— Kate…, avait timidement demandé Sylvio après un moment. Crois-tu pouvoir oublier Trudel, un jour ?

Kate était restée interdite.

— Je ne veux pas m'immiscer dans tes affaires, l'avait-il rassurée. Je te pose la question parce que je me la pose… pour Nico.

Kate avait réfléchi longuement avant de répondre.

— Je ne sais vraiment pas. J'imagine que c'est comme pour le reste… On apprend à survivre.

Puis, ils n'avaient plus rien dit. Chacun perdu dans son mal de vivre.

25

— Mais qu'est-ce qu'ils font, bon sang ? s'impatientait Kate. On devrait déjà avoir les résultats !

Kate, qui faisait référence aux analyses de la chique et du chandail d'Arthur Thérien, n'avait pourtant pas l'habitude de s'impatienter pour ce genre de chose. Elle savait que les techniciens du Labo faisaient tout en leur pouvoir pour agir avec célérité.

— Tu n'es pas au courant ? avait dit Labonté. Il y a eu un incendie dans une partie du Labo. Ils ont réussi à sauver les preuves en leur possession, mais une partie de l'équipement a été endommagée.

— *Shit !*

Todd, qui observait Kate, s'interrogeait sur ce qui la préoccupait tant.

— *What's the matter ?* avait-il lancé sans détour. Pourquoi tant d'impatience ?

— On piétine, avait-elle dit à l'équipe au bout d'un moment. On tourne en rond comme des débutants.

Elle n'avait pas eu besoin d'en dire davantage. Ils avaient tous un peu ce sentiment, même s'ils l'exprimaient différentemment.

— Qu'est-ce qu'on sait ? avait alors demandé Kate, histoire de reprendre à zéro.

121

Todd, Labonté et Jolicœur avaient rassemblé leurs idées avant de parler. Puis Todd avait attaqué.

— Nous n'avons vraisemblablement pas affaire à une secte, mais à un crime de nature personnelle. Une balle en plein cœur. Carabine de calibre 22. Ni l'arme ni la douille n'ont été retrouvées.

— Le père de la victime, un schizophrène en pleine crise, a été appréhendé sur la scène, plus de vingt-quatre heures après le crime, la chemise possiblement tachée de sang, avait contribué Labonté.

— Le meurtrier a créé une mise en scène…, avait commencé Jolicœur avant d'être interrompu par Kate.

— Si le meurtrier est Arthur Thérien, ce n'est pas une mise en scène, mais une manifestation de son délire paranoïde.

— Exact, avait acquiescé Jolicœur. Donc soit une mise en scène, soit un délire.

— Si c'est une mise en scène, il y avait préméditation, avait aussitôt ajouté Todd.

— Jolicœur, Labonté…, avait alors demandé Kate, avez-vous retrouvé l'objet dont le tueur s'est servi pour tracer le cercle sur le front de la victime?

— Oui et non, avait répondu Labonté. On a déterminé que le diamètre de l'objet était identique à celui du goulot d'une bouteille de bière…

Todd et Kate avaient soupiré. Ils avaient compris où Labonté voulait en venir.

— Mais ils ont retrouvé exactement cent vingt-deux bouteilles de bière intactes dans le champ entourant la scène. Sans compter les tessons…

— Et comme le Labo a pris du retard à cause des problèmes que l'on connaît…, avait conclu Kate, ce n'est pas demain la veille qu'on va savoir si le goulot d'une de ces bouteilles a servi à tracer le cercle.

L'équipe était restée silencieuse pendant un moment.

— J'ai quand même de la difficulté à imaginer qu'un délire puisse être aussi organisé, s'était soudain exclamé Todd.

Kate avait hésité avant de parler.

— Tu l'as déjà dit, Todd… les délires paranoïdes diffèrent d'un patient à l'autre.

— Je ne comparais pas au cas de ma mère, avait-il simplement répondu. Non. C'est juste que… Comment peut-on délirer de façon ordonnée ? Ça me semble contradictoire.

— Bonne question, avait dit Kate qui se l'était déjà posée, mais on peut aussi voir cela d'un autre angle. Imaginez que le délire d'Arthur ait pris la forme d'une obsession. Avec toute la méthode que cela comporte…

— O. K., je suis perdu, avait dit Jolicœur.

— Par exemple… Supposons qu'Arthur, dans sa folie paranoïde, se dise : « Pour me débarrasser de ceux qui me poursuivent… je dois en tuer un d'une balle au cœur… tracer exactement cinq pentacles dans la terre… puis en inciser un exactement au centre du front… aux branches exactement égales… et exactement de la même profondeur… » Me suivez-vous maintenant ?

— Je ne sais pas, Kate, avait dit Todd. *It seems far fetched.*

— C'est aller chercher loin, je sais. Mais tu sais mieux que moi que la folie a sa propre logique.

Todd n'avait rien ajouté, préférant réserver son jugement pour plus tard.

— De toute façon, avait conclu Kate, je vais en avoir le cœur net. Je dois rencontrer le Dr Létourneau avant la fin de la semaine. Elle devrait, d'ici là, avoir terminé l'étude des dossiers des patients de la victime.

— Todd, avait demandé Jolicœur, tu ne devais pas rencontrer le Dr Pelland ?

Todd leur avait alors raconté de long en large sa rencontre avec la femme.

— Est-ce qu'on connaît son emploi du temps le matin du crime ? avait demandé Jolicœur, le compte rendu sitôt terminé.

— Elle arrive au centre tous les jours à l'heure du petit-déjeuner, avait dit Todd. Et ce matin-là n'a pas fait exception. Elle a passé le début de la matinée enfermée dans son bureau à travailler sur des dossiers jusqu'à ce qu'on l'avertisse de la disparition d'Arthur Thérien. Mary Pettigrew m'a confirmé son emploi du temps.

— Dommage…, avait aussitôt dit Labonté. Elle est parfaite.

Ils l'avaient tous regardé.

— Oui… pensez-y. Elle a un mobile, la jalousie professionnelle… Elle connaissait les habitudes du père et du fils, assez en tout cas pour simuler un rendez-vous entre les deux dans la Bolton Pass… Et elle avait certainement le cerveau pour concocter cette mise en scène.

— Mais elle n'en a pas eu le temps, elle était trop occupée au centre, avait terminé platement Jolicœur.

Kate avait froncé les sourcils. Pour une raison qu'elle ignorait, elle ne parvenait pas tout à fait à oublier l'histoire des bouteilles de bière.

— Et si elle avait un complice ? avait-elle demandé après un moment.

26

Parce qu'ils devaient témoigner dans une affaire, Labonté et Jolicœur étaient retournés à Montréal après la réunion. Kate avait alors entraîné Todd chez Bud's où elle avait commandé des sandwiches à emporter.

— On va où ? avait demandé Todd, surpris.

— À la pêche ! avait répondu Kate, énigmatique.

Et elle l'avait emmené au bord de la rivière qui coulait dans les bois de Serenity Gardens.

— Qu'est-ce qu'on fait ici ? demandait maintenant Todd, en s'asseyant sur le tronc d'arbre que lui indiquait Kate.

— On espère que le poisson sera au rendez-vous et que la pêche va être bonne, avait-elle dit en lui tendant son sandwich.

Todd savait qu'il était inutile d'insister. Kate lui révélerait ses intentions en temps voulu. Ils avaient donc mangé en silence, appréciant la chaleur du soleil printanier qui leur chauffait la peau.

— Oh ! s'était exclamée, au bout d'un moment, une voix enfantine.

Kate avait souri, sans se retourner. Todd n'avait pas suivi son exemple. Et il était maintenant aussi troublé que Kate l'avait été en voyant Élisabeth pour la première fois.

— Je te présente Élisabeth, avait dit Kate, les yeux toujours rivés sur la rivière.

— C'est ton amoureux, avait dit la jeune fille, sans gêne, en venant s'asseoir du côté de Kate.

Todd, qui l'avait suivie des yeux, ne pouvait toujours pas s'en détacher. Il en avait l'air tout simplement niais. Kate et Élisabeth avaient éclaté de rire.

— Pourquoi tu crois que c'est mon amoureux ? avait dit Kate après un moment.

Élisabeth avait haussé les épaules sans répondre, avant de prendre sa canne à moucher et de commencer à la monter. Kate n'avait alors pu s'empêcher de remarquer qu'elle avait cela en commun avec Todd. Ce haussement d'épaules qui veut dire « cela n'a pas d'importance ».

— Élisabeth a l'habitude de venir pêcher ici, avait-elle dit à Todd. C'est comme ça que je l'ai rencontrée. Élisabeth, je te présente un membre de mon équipe… le sergent Todd Dawson.

— *Nice to meet you*, avait finalement articulé Todd.

— Ah, ce ne sera pas facile, avait dit la petite, nouant une mouche à son bas de ligne. J'ai déjà un Toto.

Todd avait regardé Kate.

— Élisabeth est une résidente du centre. Et elle a l'habitude de rebaptiser les gens. Arthur Thérien, c'est Toto, moi je suis Kat et Mary, c'est…, avait-elle débuté sans finir, laissant à Élisabeth le plaisir de le faire.

— Pet !

Les deux complices avaient de nouveau éclaté de rire. Todd avait souri. Comment aurait-il pu résister ? La petite était inimaginable et, à sa connaissance, il n'avait jamais vu Kate dans cet état. Pour la première fois depuis qu'il la connaissait, il voyait transparaître l'enfant qu'elle avait jadis été. Avant le drame.

— Je comprends le problème, avait-il dit.

La petite avait réfléchi à la question tout en allant se poster sur le bord de la rivière.

— Je vais t'appeler... Toto à Emma !

Todd était resté surpris. Comme il n'avait jamais croisé la jeune fille au centre, il ne lui était pas venu à l'esprit qu'elle puisse connaître sa mère. Et encore moins qu'elle sache qu'il était son fils.

— Elle parle tout le temps de toi, avait dit Élisabeth pour répondre à sa question muette. Todd ici, Todd là... Oh, là, là !

Kate avait saisi l'occasion au vol.

— Tu dois en entendre des choses, avait-elle suggéré.

— Qu'est-ce que tu veux savoir ? avait demandé sans détour la jeune fille.

Puis elle avait retiré sa ligne de l'eau et l'avait lancée à nouveau.

— Le Dr Pelland...

Todd comprenait enfin pourquoi Kate l'avait traîné là.

— ... tu es amie avec elle ?

— Elle, je l'appelle « la police », avait plutôt répondu Élisabeth.

— Pourquoi ? avait demandé Kate avec un sourire.

— Elle surveille tout. Elle est partout... Et ses yeux parlent.

Todd avait regardé Kate en articulant silencieusement le mot « médication ».

— Je ne crois pas, avait murmuré Kate, sans toutefois en être convaincue. Dis donc..., avait-elle ensuite enchaîné, espiègle. Tu n'aurais pas surpris le Dr Pelland avec son amoureux, par hasard ?

Élisabeth avait hésité quelques secondes avant de répondre, puis elle avait dit, catégorique :

— Non. Ce n'est pas son genre.

Elle avait ensuite retiré sa ligne de l'eau et s'était dirigée en aval de la rivière.

— À une autre fois ! leur avait-elle lancé en commençant à courir.

Kate et Todd n'avaient rien dit pendant un moment. Puis, à l'unisson, comme s'ils partageaient le même cerveau, ils s'étaient exclamés :

— Ce n'est pas son genre ?

Et ils avaient éclaté de rire.

27

Le journal avait fait un bruit mat en frappant la table où l'inspecteur Trudel l'avait laissé tomber en pénétrant dans la salle de réunion. À la une du *Perkins County News*, on pouvait lire :

Délire meurtrier à Perkins

L'article continuait en décrivant les circonstances de la mort du Dr Thérien et la présumée culpabilité d'Arthur Thérien, le père de la victime, un schizophrène en crise, appréhendé sur la scène du crime. Le journaliste qui avait signé l'article terminait sur une question : *Combien de vies seraient encore sacrifiées avant que la SQ ne procède à une arrestation ?*

L'équipe d'enquête, rassemblée autour de la table de la salle de réunion lors de l'entrée de Trudel, attendait silencieusement la suite. Car à voir Trudel faire les cent pas, il était évident qu'une tempête allait bientôt s'abattre sur le groupe.

— Bordel ! Personne ne contrôle les médias locaux ? s'était finalement exclamé l'inspecteur.

— Paul…, avait essayé d'intervenir Kate.

— Lieutenant, je ne vous ai pas adressé la parole !

Kate était restée interdite. Ce n'était pourtant pas la première fois que la SQ était dans la mire de journalistes et de reporters de tout acabit. Pourquoi réagissait-il avec autant de véhémence ? Pourquoi cet article de journal prenait-il autant d'importance à ses yeux ? À moins que je n'aie eu raison de croire que la survie de l'Escouade était en danger ? s'était soudain demandé Kate.

— Ce matin, l'article est dans cette merde locale, avait enchaîné Trudel, mais d'ici quelques heures, quelqu'un l'aura repêché et nous ferons les manchettes de tous les journaux du Québec. Bordel !

Kate, qui avait pris le journal sur la table, lisait maintenant attentivement l'article.

— Il n'y a rien là-dedans qu'on ne puisse arranger avec un point de presse, avait-elle dit doucement, sa lecture terminée.

Trudel s'était tourné vers elle.

— Et que comptes-tu leur dire ?

— La vérité. Que l'enquête est en cours et que nous explorons présentement plusieurs pistes.

— Et que comptes-tu leur dire à propos d'Arthur Thérien ? avait insisté Trudel.

— Que veux-tu que je leur dise ? On n'a pas de preuves tangibles contre lui.

— Vous avez reçu les résultats des analyses ?

— La chique de tabac trouvée sur la scène a sa signature génétique, l'avait informé Labonté, mais il n'y a rien d'incriminant là-dedans. Arthur Thérien y allait tous les jours. Et, de toute façon, on sait déjà qu'il était sur les lieux…

— Et les taches de sang sur son chandail ? avait demandé Trudel.

— Cervidé, avait répondu Jolicœur.

— Du sang de chevreuil ? avait dit Trudel, surpris.

— Exact. Provenant probablement de la carcasse de chevreuil que l'équarrisseur a ramassé dans la Bolton

Pass ce jour-là. Apparemment la bête avait été frappée par une voiture et un bon samaritain l'aurait achevée avec une pierre. On croit qu'il s'agit d'Arthur Thérien…

La nouvelle n'avait pas l'air de plaire à Trudel.

— Paul…, avait renchéri Kate. Toutes les preuves contre Arthur Thérien sont circonstancielles.

— On a déjà arrêté des criminels pour moins que ça, avait rétorqué Trudel.

— Es-tu en train de dire que nous devrions faire inculper Arthur Thérien ?

Trudel avait pris son temps avant de répondre.

— Je crois que nous devrions, au moins, en discuter avec le procureur.

Kate l'avait fixé.

— Et moi, je crois que ce serait une erreur. Approcher le procureur, c'est condamner Thérien. C'est le jeter aux loups pour satisfaire les médias et calmer la population.

— Tu dramatises, avait rétorqué Trudel.

— *Shit!* s'était finalement emportée Kate. On a déjà eu la presse à nos trousses. Qu'est-ce qu'il y a de différent aujourd'hui ? Qu'est-ce qui fait que nous ne pouvons pas attendre quelques jours ?

Trudel continuait de marcher de long en large.

— Paul, avait repris Kate, mais cette fois avec plus de douceur. Est-ce que tout cela a un rapport avec l'évaluation ? Parce que sincèrement, je ne vois pas…

Les membres de l'équipe avaient maintenant les yeux rivés sur l'inspecteur.

Trudel était bien embêté. Plusieurs facteurs avaient influencé son humeur, certains plus personnels que d'autres, mais l'évaluation était sûrement le facteur principal. Il avait menti à Kate. Les trois autres divisions de l'Escouade n'étaient pas sous évaluation. Uniquement la leur. Parce que Trudel les avait choisis. Parce qu'il les savait plus performants, il voulait faire d'eux un modèle. Et maintenant, sa stratégie se retournait contre lui.

— Cette évaluation, avait commencé Trudel à contrecœur, a été commandée dans le but de décider si l'ECV ne devrait pas devenir une division permanente de la SQ.

L'annonce avait été accueillie par des sifflements approbateurs et Labonté, Jolicœur et Dawson avaient multiplié les *hi-five*. Kate était cependant restée silencieuse, les yeux toujours fixés sur Trudel. Il y aurait un prix à payer pour assurer la permanence de l'Escouade, elle le savait.

— Les coûts d'une telle escouade et son efficacité étant les deux principaux critères à partir desquels la décision sera prise, avait continué Trudel, vous comprendrez que le moment n'est pas idéal pour se retrouver dans la mire des médias, ni pour tergiverser. Nous avons besoin de résultats rapides.

— Et c'est Arthur Thérien qui en fera les frais, avait conclu Kate à voix haute.

28

Le front appuyé contre la fenêtre embuée, elle tentait de mettre de l'ordre dans ses idées. Depuis le temps qu'elle attendait ce moment, elle aurait dû être extatique. Mais ce n'était pas le cas. Elle était nerveuse, irritable et le vide qu'elle avait autrefois à la place du cœur occupait maintenant toute sa poitrine. La sensation était étrange. La présence de l'absence grugeait son corps. Comme une bactérie mangeuse de chair. Et rien ne semblait pouvoir l'arrêter. Pas même la mort tant désirée de Claude Thérien.

Elle avait frissonné à cette pensée et avait jeté un œil en direction de l'homme vautré sur le divan élimé. C'était sa faute à lui. Il gâchait tout. Sa présence à elle seule suffisait à étouffer tout élan de bonheur. Sans compter sa stupidité. Elle ne pouvait pas savourer sa victoire parce que, tôt ou tard, il la mettrait en péril. Il était trop mou, trop lâche pour assumer son acte. Il finirait par craquer.

Comme le ressac, l'angoisse l'avait alors submergée et elle avait dû s'agripper au cadre de fenêtre pour ne pas se sauver à toute allure. Son envie de fuir était viscérale. Son corps voulait être ailleurs, mais elle ne pouvait se payer ce luxe. Elle devait passer le plus de temps possible avec lui pour évaluer la situation.

À travers la fente de ses yeux presque fermés, il l'observait. Les brumes de l'alcool n'avaient pas encore entièrement envahi son cerveau et il était capable de réfléchir à certaines questions. Par exemple, à la raison pour laquelle elle s'était intéressée à lui au départ.

Il aurait bien aimé connaître la réponse parce que depuis un moment il sentait qu'elle se détachait de lui et il aurait voulu y remédier. Il s'était habitué à sa présence, à sa compagnie. Et bien qu'il ne l'ait jamais trouvée particulièrement jolie, il appréciait la façon dont elle prenait soin de lui…

Cette pensée l'avait fait rigoler. Et elle avait sursauté.

— Je pensais que tu dormais, avait-elle dit, agacée.

— Je ne suis pas assez détendu…, avait-il bafouillé aussi lascivement que possible en la regardant.

— Je vais te servir une autre bière, avait-elle aussitôt répondu, ça devrait faire l'affaire.

Il avait presque insisté, mais la perspective de sentir une nouvelle fois le liquide ambré couler doucement dans son gosier l'avait emporté.

— Merci, mon ange, avait-il dit en lui offrant son plus beau sourire édenté.

Elle avait agrippé la poignée du réfrigérateur comme une bouée de sauvetage.

Ce sera bientôt fini, s'était-elle répété en boucle comme un mantra. Tu trouveras une solution.

29

Ils marchaient en silence.

D'un commun accord, Kate et Trudel avaient quitté le poste de Brome-Perkins et s'étaient dirigés tout bonnement vers la scène du crime dans la Bolton Pass. Ils cherchaient un endroit où discuter. Loin des oreilles indiscrètes. Ils cherchaient aussi une occasion de réviser l'affaire en tête-à-tête. Comme ils avaient l'habitude de le faire par le passé.

— Inculper Arthur Thérien n'est pas la solution, avait dit Kate au bout d'un moment.

Trudel s'était arrêté de marcher et lui avait mis la main sur le bras. Un geste familier, qu'il avait aussitôt regretté.

— Je ne te demande pas de faire inculper un innocent, avait-il dit en retirant sa main. Toutes les preuves tendent vers lui. Et nous n'avons aucune autre piste. Aucun suspect.

— Le Dr Pelland...

— Spéculations. As-tu des preuves qu'elle a un complice ?

À grand regret, Kate avait secoué la tête négativement. Pourquoi diable résistait-elle tant à l'inculpation de Thérien ? s'était-elle demandé en reprenant la marche.

L'interdiction de pénétrer dans le périmètre de la scène avait été levée. Il était facile de voir aux déchets qui jonchaient le sol que les curieux avaient depuis envahi les lieux.

— C'était simple pour Arthur Thérien d'attirer son fils ici…, avait commencé Trudel. Claude Thérien devait savoir que c'était le lieu de prédilection de son père. Et il n'aurait eu aucune raison de se méfier. Mais admettons que ce ne soit pas le père qui ait fait le coup… Comment le meurtrier a-t-il réussi à attirer le docteur ici ?

— Je sais… Il fallait quand même impliquer Arthur Thérien.

— Se faire passer pour lui, à tout le moins… pour fixer un rendez-vous entre le père et le fils dans la Bolton Pass. Il me semble cependant que le Dr Thérien aurait découvert l'imposture, à moins que nous n'ayons affaire à un imitateur hors pair.

— Ça, c'est parce que tu n'envisages qu'un rendez-vous pris par téléphone, avait dit Kate en s'arrêtant de marcher. On sait que le meurtrier ne s'est pas servi d'un courriel… On a déjà vérifié toute la correspondance du docteur, mais le coupable aurait pu se servir d'un message texte. N'oublie pas qu'on n'a toujours pas retrouvé le cellulaire du docteur…

Trudel la regardait en souriant.

— Quoi ?

— Tu ne veux vraiment pas que le père soit le coupable.

— Je ne veux pas qu'un innocent soit déclaré coupable… simplement parce qu'il souffre de maladie mentale.

Trudel s'était massé le front. Migraine, avait pensé Kate en le voyant faire. Je lui donne des migraines !

— Bon, très bien, avait finalement concédé Trudel. Vous avez contacté la compagnie de téléphone pour la liste des appels ?

Kate avait hoché la tête.

— Alors, on va attendre de voir la liste. Contente ? avait-il ajouté en se massant vigoureusement les tempes.

— Tu as tes comprimés ? avait demandé Kate sans répondre à sa question.

— Je les ai oubliés à Montréal…

— J'en ai encore chez moi…, avait dit Kate en le regardant fixement. De la dernière fois…

30

Il aurait bien sûr dû décliner l'offre, mais il s'était laissé entraîner comme un enfant. Confiant à Kate la responsabilité des gestes à venir. Il se sentait lâche, mais son désir inassouvi du corps de Kate était plus impérieux que ses promesses de fidélité.

À peine dans le chalet, Trudel avait cependant eu un mouvement de recul. Ce qui n'avait pas échappé à Kate.

— Entre, je ne te ferai pas de mal, avait-elle dit, une fois débarrassée de ses bottes de pluie et de son manteau, tout en s'éloignant vers la salle de bains où étaient rangés les comprimés promis.

Trudel avait obéi et refermé la porte derrière lui, comme un enfant sage.

Kate était ensuite revenue dans la pièce qui lui servait à la fois de cuisine et de salon, avait pris un verre dans l'armoire au-dessus de l'évier et l'avait rempli d'eau. En tendant les comprimés et le verre, elle avait fait signe à Trudel de s'approcher.

Paul, encore figé sur le tapis de l'entrée, avait alors lentement retiré son manteau et enlevé ses souliers. Puis, comme un automate, il s'était avancé et avait pris les comprimés des mains de Kate. En effleurant ses doigts, le désir était monté. Fulgurant.

Kate n'avait pas fait un geste. Les yeux plantés dans ceux de Paul, comme à la recherche d'une réponse, elle lui avait tendu le verre d'eau.

Paul l'avait pris doucement, recouvrant la main de Kate avec la sienne. Nouvelle décharge de désir.

Le cœur mou, Paul avait avalé les comprimés avec une gorgée d'eau puis avait déposé le verre sur le comptoir avant de tituber vers le vieux fauteuil près du poêle à bois. Kate, qui n'avait pas bougé d'un iota, le regardait toujours.

— Ça va aller? lui avait-elle demandé sans le quitter des yeux.

— J'ai... Je vais me reposer quelques minutes, le temps que les médicaments fassent effet. Je prendrai la route après, avait-il ajouté.

Kate n'avait rien dit. Elle était allée chercher du bois sur la galerie et avait commencé à faire un feu dans le poêle.

Trudel l'avait regardée froisser le papier qui allait servir à faire démarrer le feu, placer le petit bois et craquer l'allumette qui incendierait le savant montage. Et cela n'avait fait qu'exacerber son désir.

Chacun des gestes de Kate lui était apparu comme une invitation. Son corps gracile accroupi devant le feu, sa croupe offerte à son regard, son souffle doux sur la braise ardente...

Puis la chaleur du poêle atteignant son corps déjà embrasé de désir, il avait succombé.

Il s'était penché vers Kate et, d'une main ferme, il avait attrapé son bras et l'avait attirée à lui sur le fauteuil. Kate n'avait pas résisté. Elle avait sombré sur lui, son corps à sa merci.

Et elle avait fermé les yeux.

31

À son réveil, Kate n'avait pas été surprise de constater que Paul avait déjà quitté le chalet. Elle aurait fait pareil à sa place. Il ne faisait que fuir la conversation qu'elle-même n'était pas résolue à avoir avec lui. Que pouvaient-ils dire, de toute façon, qu'ils ne s'étaient pas déjà dit ? Paul l'avait aimée, elle l'avait repoussé, et il avait à présent une autre femme dans sa vie. Un point, c'est tout. Le sexe n'avait été qu'un souvenir partagé…

Cette pensée avait agacé Kate. Était-ce ce constat qui, la veille, l'avait autant troublée pendant que Paul la chevauchait ? L'impression que Paul baisait un souvenir ? N'ayant pas envie d'y réfléchir plus avant, Kate avait brusquement envoyé valser les draps et s'était précipitée dans la douche. Elle aurait préféré l'eau vivifiante du lac, mais il venait à peine de caler et la température n'atteignait sûrement pas plus de dix degrés Celsius.

Après ses ablutions, Kate s'était préparé un expresso bien tassé et était sortie avec sa chatte Millie sur la galerie. Assise sur les marches, caressant sa chatte d'une main et tenant son café de l'autre, elle avait retrouvé son équilibre. Prendre l'air en compagnie de sa minette et se gorger les yeux de la beauté environnante… « Deux antidépresseurs naturels », du moins dans son livre à elle.

La sonnerie de son cellulaire avait rompu le charme.

— McDougall, avait répondu Kate en ouvrant le rabat de l'appareil.

— *I have good news…*, avait dit Todd d'entrée.

— Tant mieux parce que je n'ai pas envie d'entendre autre chose.

— Tu as l'air dans une forme splendide.

— *As always…*

Todd avait ri.

— Arthur Thérien a reçu son congé de l'hôpital. Il est de retour au centre.

— À Serenity Gardens? avait demandé Kate, surprise.

— Le personnel de l'hôpital m'a expliqué qu'une fois le patient diagnostiqué et la crise maîtrisée, ils procèdent à une période d'observation, et si le patient ne montre aucun signe de danger pour lui-même ou pour autrui, il est relâché.

— En d'autres mots, Arthur Thérien, qui n'a plus aucune famille, a bien de la chance d'habiter le centre, sans quoi il serait jeté à la rue, sans soutien ni suivi.

— Un SDF[4] de plus…

Kate avait soupiré. Elle se rendait compte à quel point il existait peu de soutien pour les gens atteints de maladie mentale. Pourtant, les statistiques le montraient : le nombre de malades était effarant. Mais si l'on interrogeait la population, personne ne souffrait de maladie mentale ni n'avait de membre de sa famille qui en souffrait. La chose était encore taboue. Comme une honte, une faille, un échec. Quelle stupidité! avait songé Kate. Puis les paroles de Nico lui étaient revenues à la mémoire.

— «On soigne nos maux de ventre, pourquoi ne pas soigner nos maux d'âme?» avait-elle murmuré.

— *Right…*

---

4. Sans domicile fixe.

— Tu as parlé au Dr Pelland ? avait repris Kate avec énergie. On peut passer au centre interroger Arthur Thérien ?

— On peut, mais pas avant seize heures. Le docteur veut être présent.

— Parfait. Ça va te permettre de mettre tes rapports à jour en attendant.

— *You're a fun girl*, avait dit Todd.

— *As usual...* Je passe te prendre chez ta femme ?

Todd avait toussoté.

— Non... J'ai dormi au poste. Dans une cellule.

— Si c'est tout ce que tu as trouvé comme appartement... Tu vas avoir besoin de mes conseils !

Puis Kate avait éclaté de rire.

32

En quittant le chalet de Kate au petit matin, Trudel avait pris la route en direction de Montréal et du QG de la Sûreté. Pas question de rentrer chez lui. Julie le croyait à l'auberge de Perkins et il n'allait certainement pas lui donner des raisons de croire autre chose.

Trudel avait pris son temps sur le chemin du retour, histoire de digérer les dernières heures en compagnie de Kate. Il ne comprenait pas trop ce qui était arrivé ni pourquoi il avait agi comme il l'avait fait. Ce n'était pas dans sa nature. En passant la nuit chez Kate, il avait sciemment rompu une promesse. Une promesse qui engageait plus que sa propre personne…

Julie aurait eu une version plus prosaïque des choses. Elle lui aurait dit: « Tu réfléchissais avec tes culottes ! » Et elle aurait eu raison. Bien qu'il ait rompu avec Kate, son désir pour elle était demeuré intact. À vrai dire, il n'avait fait que s'accentuer depuis leur rupture. Et la nuit passée avec elle aurait dû le satisfaire. Alors pourquoi ce matin se sentait-il aussi… vide ?

Comme Kate, cependant, il n'avait pas envie d'explorer le sujet. Aussi, en sortant de sa voiture dans le stationnement du QG, il avait été heureux d'apercevoir Labonté et Jolicœur qui arrivaient. Il les avait salués et s'était joint à eux avec empressement.

Maintenant attablé à la cafétéria devant un copieux petit-déjeuner, le groupe discutait de l'affaire des pentacles.

— Le notaire Beaudry, l'informait Labonté entre deux bouchées, nous a finalement fait parvenir une copie du dernier testament enregistré de Claude Thérien. Le document original date de 1993, au moment où le Dr Thérien pratiquait à Montréal...

— Le document original ? avait répété Trudel.

Labonté avait souri.

— Il a fait rédiger un codicille en 1998.

Jolicœur avait alors fouillé dans sa mallette et tendu à Trudel la copie de la modification du testament.

Trudel avait rapidement parcouru le document.

— Son père héritait de tout avant le codicille, avait-il résumé après un moment, mais depuis le codicille, un dénommé Patrick Parsons hérite de cinquante pour cent de ses avoirs si le père est toujours vivant, et de cent pour cent si celui-ci est déjà décédé.

Trudel avait regardé Labonté et Jolicœur.

— Qui c'est, ce Parsons ?

— Un mort, avait dit Labonté.

— Quoi ?

— Décédé en juillet 1998. Trois mois après la rédaction du codicille. Il avait trente-cinq ans.

— Si je calcule bien..., avait dit Trudel, Claude Thérien en avait quarante-cinq à l'époque. C'était sûrement son petit ami...

— J'en doute, avait dit Jolicœur en s'essuyant la bouche avec une serviette de papier. Vous oubliez que le doc n'avait plus de bijoux de famille...

— Malgré vos préjugés, sergent Jolicœur, avait dit Trudel avec un sourire en coin, il se peut que le Dr Thérien ait eu un petit ami, même avec son handicap.

— Hé, une minute ! s'était insurgé Jolicœur, je n'ai rien contre les gais. Mais j'ai de la difficulté à imaginer une relation homosexuelle sans sexe. On parle de deux gars, là. Il me semble que c'est davantage le genre des femmes d'accepter ça… Une relation sans sexe. En tout cas, moi, j'aurais de la difficulté…

Trudel avait éclaté de rire.

— C'est pour ça que tu es célibataire…, avait commenté Labonté en riant.

— Il n'était peut-être pas castré à cette époque, avait dit Trudel, après un moment. De toute façon, on a la réponse à notre question… Patrick Parsons mort, c'est le père qui hérite de tout.

Puis Trudel avait pensé à autre chose.

— Et la liste des appels sur le cellulaire de Claude Thérien, vous l'avez reçue ?

Jolicœur avait de nouveau plongé les mains dans sa mallette.

— La voici, avait-il dit en tendant le document à Trudel. Tout est normal sauf ici…

Jolicœur avait pointé le dernier numéro sur la liste. Un message texte reçu à dix-neuf heures, la veille de la mort du Dr Thérien.

Trudel avait interrogé Jolicœur du regard.

— On a vérifié le numéro. Il a été attribué à Arthur Thérien.

Trudel avait grimacé.

— J'ai de la difficulté à imaginer Arthur Thérien « textant » son fils…

— On a vérifié avec le centre, avait dit Labonté. Claude Thérien a donné le cellulaire à son père pour Noël. Le vieux a d'abord rechigné, allergique comme bien des aînés aux nouvelles technologies, mais après un moment, il a fini par maîtriser l'appareil.

— *Dixit* Mary Pettigrew, avait ajouté Jolicœur.

— Quand même, de là à texter…, avait marmonné Trudel sceptique. Est-ce qu'on sait si Arthur Thérien est toujours en possession de son cellulaire ?

Les deux sergents s'étaient regardés puis avaient haussé les épaules.

— On est là-dessus, avait finalement dit Labonté, quelques secondes plus tard, se levant avec son cabaret et faisant signe à Jolicœur de suivre son exemple.

Mais Labonté n'avait pas eu à lui faire un dessin. Jolicœur était déjà debout. Après tout, ils étaient sous évaluation et Trudel était leur supérieur.

Kate avait raison, avait songé Trudel, une fois les sergents partis. Le meurtrier avait fait parvenir un message texte à Claude Thérien, la veille de sa mort, lui donnant vraisemblablement rendez-vous dans la Bolton Pass… Et, si l'on se fiait aux dires de Mary Pettigrew, il ne s'agissait pas de quelqu'un usurpant l'identité d'Arthur Thérien… mais d'Arthur Thérien lui-même !

33

Le Dr Pelland, qui attendait le lieutenant McDougall et le sergent Dawson à l'entrée du centre, leur avait expliqué la situation. Arthur Thérien avait été victime d'une crise aiguë et les médicaments qu'on avait dû lui administrer pour tenter d'éliminer les symptômes étaient très puissants. Grâce à eux, ils avaient réussi à faire cesser les hallucinations et à atténuer les voix, mais Arthur Thérien en garderait, temporairement, des séquelles. Sa capacité de concentration était amoindrie et il avait des problèmes d'élocution.

— Est-il lucide ? avait demandé Kate.

— Dans le sens psychiatrique du terme ? avait à son tour demandé la thérapeute.

Kate et Todd avaient paru surpris par la question.

— Dans le domaine de la santé mentale, leur avait expliqué le Dr Pelland, la lucidité désigne l'état de la personne qui est consciente de la présence et de la signification des symptômes… Par exemple, de leur origine et du rôle qu'ils jouent dans la production de la maladie. Si la lucidité à elle seule ne peut atténuer la maladie, l'acceptation émotionnelle de la maladie est souvent nécessaire avant que les symptômes diminuent. Dans ce sens, Arthur Thérien est très lucide. C'est sûrement une des raisons pour lesquelles nous sommes parvenus aussi rapidement à résorber la crise.

— Mais ? avait dit Kate.

— Mais si vous me demandez s'il peut répondre clairement à vos questions… Ou plutôt si vous pouvez vous fier entièrement à ses réponses… Je vous dirais qu'on ne peut être sûr de rien.

Todd et Kate s'étaient regardés.

— Il est présentement lucide, dans le sens où vous l'entendez, mais le souvenir qu'il a des événements qui se sont passés pendant sa crise peut être biaisé. En d'autres mots, on ne peut savoir s'il se souvient de faits réels ou d'hallucinations… qui pour lui, malheureusement, étaient bien réelles au moment où ils les subissaient.

— Sait-il pour son fils ? avait demandé Todd.

— Oui, avait simplement répondu le médecin. Je vais maintenant vous accompagner à la salle de séjour.

Ils l'avaient suivie sans rien ajouter.

Arthur Thérien était assis sur une berceuse parquée dans un coin de la salle devant une fenêtre traversée par un maigre rayon de soleil. L'homme était immobile, prostré, les bras repliés contre son corps. Il faisait pitié à voir. Sur une chaise droite, à côté de lui, Mary Pettigrew semblait entretenir une conversation à sens unique. En les voyant arriver, elle s'était aussitôt levée.

— Oh… j'ai… je prenais ma pause avec Arthur. «Bienheureux les… », avait-elle commencé, s'éloignant à petits pas pressés en direction du corridor sans terminer sa citation.

Diane Pelland avait roulé des yeux.

— Mary se sent coupable, leur avait-elle expliqué. Elle croit qu'elle aurait dû se rendre compte ce matin-là qu'Arthur faisait une rechute. Elle ne semble pas comprendre qu'elle n'a aucune formation dans ce sens et que personne ne la tient responsable de quoi que ce soit. Résultat ? Elle passe la majeure partie de son temps libre aux côtés d'Arthur à lui faire la conversation. Pauvre homme... Comme s'il n'avait pas déjà assez de ses problèmes.

Les deux policiers n'avaient rien dit.

— Arthur, avait dit le docteur, les enquêteurs sont arrivés.

Arthur Thérien avait levé la tête et s'était tourné dans leur direction. Kate s'était fait la remarque que, contrairement à la dernière fois où elle l'avait vu, son visage n'exprimait aucune souffrance. Il n'exprimait aucune vie non plus. Arthur Thérien avait le visage d'un mort.

Le Dr Pelland préférant rester debout à l'écart, Todd avait approché deux chaises, et Kate et lui s'étaient assis en face de l'homme. Une fois installés, ils s'étaient présentés tour à tour, avaient exprimé leurs condoléances, puis en étaient venus à la raison de leur visite.

— Je sais que ce n'est pas facile pour vous, avait commencé Kate, mais vous souvenez-vous de quoi que ce soit pouvant nous aider à trouver les responsables de la mort de votre fils ?

L'homme avait fixé Kate de ses yeux éteints avant d'articuler bien lentement pour qu'elle le comprenne :

— Je... l'ai... vu... mourir.

34

Mary Pettigrew n'était pas retournée à son bureau. À l'insu du groupe réuni autour d'Arthur Thérien, elle était revenue sur ses pas et s'était postée dans le corridor de manière à ne pas être vue, mais de façon à entendre la conversation qui se déroulait dans la salle de séjour.

Elle avait failli hurler quand Élisabeth s'était silencieusement glissée derrière elle et lui avait fait une tape dans le dos en disant :

— Salut, Pet !

— Ma petite…, avait commencé à s'exclamer Mary, sans toutefois terminer sa pensée. Élisabeth, sais-tu que c'est dangereux de faire ça ? J'aurais pu mourir de peur.

Élisabeth avait haussé les épaules. Ce qui avait mis Mary davantage en colère.

— Ta maladie n'excuse pas ton comportement, ma petite fille. Ta mère va être informée et tu devras répondre de ton impertinence.

La menace n'avait même pas fait sourciller Élisabeth. Depuis son diagnostic, aucune crainte n'était arrivée à rivaliser avec celle de sa maladie.

— Qu'est-ce qui justifie ton comportement, à toi ? avait-elle plutôt demandé.

Mary avait été surprise par la question.

— Mon comportement ? avait-elle répété.

— Oui. Tu écoutes aux portes. Ça aussi, c'est impoli.

Mary avait rougi.

— Je m'inquiète pour Arthur… Je veux simplement le protéger.

Élisabeth l'avait dévisagée avant de parler.

— Toto n'a pas besoin de ta protection. Je veille sur lui maintenant.

La remarque de la petite avait fait sourire Mary.

— Tu aimes beaucoup Arthur…

— C'est lui qui m'a montré à pêcher.

— Ah !

— C'est lui qui m'a fait découvrir la rivière dans la forêt derrière. J'aime la rivière. Je sais que ma mère ne veut pas que j'y aille toute seule, mais elle a tort. Je connais les dangers de l'eau. Je connais aussi toute la forêt derrière. Toutes les cachettes…, avait-elle ajouté avec un large sourire.

— Tu en connais des choses, avait dit Mary, répondant à son sourire.

Élisabeth l'avait regardée gravement.

— Pas autant que les autres filles de mon âge.

Mary lui avait jeté un regard intrigué.

— Quand tu auras pris le dessus sur ta maladie, avait-elle dit, tu pourras rattraper le temps perdu.

— Mais en attendant… qu'est-ce que je fais ?

— Je ne te suis pas…

— Qu'est-ce que je fais pour comprendre les choses ? avait insisté Élisabeth.

— Mais, qu'est-ce que tu veux comprendre, mon chou ? avait demandé Mary, inquiète.

Élisabeth était sur le point de se confier, mais elle s'était soudainement ravisée.

— Laisse tomber, avait-elle dit, s'éloignant dans le corridor en courant, ce n'est pas important.

Mary l'avait suivie du regard en fronçant les sourcils. La petite avait-elle cessé de prendre ses médicaments ?

Je vais la surveiller, s'était-elle dit, avant de s'éloigner à son tour dans le corridor, ne voulant pas être prise en flagrant délit par les visiteurs qui s'apprêtaient maintenant à quitter la salle de séjour.

35

La conversation qui avait suivi la déclaration d'Arthur Thérien avait été aussi éclairante qu'un brouillard épais. Le Dr Pelland avait raison. L'homme naviguait en eau trouble.

— Vous avez vu votre fils mourir ? avait répété Kate prudemment.

Arthur avait alors semblé perplexe. Comme s'il ne comprenait pas ce que Kate venait de lui dire.

— Vous venez de me dire que vous avez vu votre fils mourir, avait repris Kate avec patience.

Arthur Thérien avait jeté en regard en direction du Dr Pelland puis s'était de nouveau concentré sur Kate.

— Je… J'ai… Il y a eu un bruit assourdissant… Je l'ai vu tomber… Il y avait des voix…

Todd et Kate s'étaient consultés du regard. Todd avait haussé les épaules, puis Kate avait jeté un coup d'œil à la psychiatre. Diane Pelland avait simplement articulé silencieusement : « Je vous l'avais dit. »

— Arthur…, avait dit Kate en posant délicatement une main sur son bras.

L'homme s'était rencogné dans sa chaise, il n'avait cependant pas tenté de retirer son bras.

— Arthur, avait poursuivi Kate, enhardie, vous êtes sûr de ne pas avoir imaginé le bruit… ou même les voix ?

Arthur l'avait longuement fixée.

Pendant tout ce temps, Kate l'avait imaginé tapi au fond de ses prunelles, cherchant à percer le voile qui le séparait de la vérité. Elle avait même cru voir naître une étincelle dans ses yeux...

Mais au bout d'un moment, il avait dit, la lumière ayant quitté son regard pour de bon :

— Je ne peux être sûr... de rien. Je pourrais avoir tué mon fils... de mes propres mains... et ne pas m'en souvenir.

36

Le Thirsty Cowboy était plein à craquer.

— *Must be social security check day...*, avait marmonné Todd en se frayant un chemin parmi les tables couvertes de bouteilles de bière, pour la plupart déjà vides.

En quittant le centre, Kate avait réussi à convaincre Todd de venir prendre un verre avec elle. Pour discuter de l'affaire, avait-elle invoqué en guise d'excuse.

Todd n'était pas dupe. Il connaissait Kate et ses soifs. Mais sa propre envie d'en « prendre une froide » avait gagné sur ses scrupules à accompagner Kate dans son entreprise d'autodestruction.

— Deux Bleue, avait demandé Kate au barman, en se ménageant une place au bar entre deux « locaux » déjà passablement ivres.

En voyant Todd derrière elle, les hommes s'étaient rapidement écartés du comptoir. Comme la plupart de ceux qui fréquentaient le bar, ils fuyaient les policiers. Ils avaient toujours quelques délits à se reprocher : braconnage, contraventions impayées, quand ce n'était pas tout bonnement la culture de cannabis...

L'espace dégagé, Todd avait pris place aux côtés de Kate, et ils avaient savouré leur première bière en silence, adossés au bar, observant la foule qui avait déjà une longueur d'avance sur eux.

— *So...*, avait dit Todd à Kate, après avoir commandé une nouvelle tournée au barman.

Kate avait pris le temps de réfléchir, la bière commençant à faire son effet.

— C'est certain que légalement son témoignage ne servirait pas à grand-chose... mais on peut malgré tout en tirer des déductions.

— Comme ?

Kate l'avait regardé.

— Tu le trouves confus, toi ?

Todd avait souri. Elle avait accroché au même détail que lui.

— Pas si je considère la chronologie de son récit...

— Exact. Il a dit : « Il y a eu un bruit assourdissant... Je l'ai vu tomber... Il y avait des voix... » Les voix viennent après la présumée chute du docteur...

— Après le choc donc.

— *Right...*, avait dit Kate. Le stress de voir son fils assassiné aurait pu déclencher une crise. De là, les voix...

— Possible, avait dit Todd.

— Je vais vérifier avec le Dr Létourneau.

Ils avaient choqué leurs nouvelles bouteilles, contents de leurs déductions.

— Alors, avait commencé Kate au bout d'un moment, tu as un endroit où dormir ce soir ?

Todd avait bafouillé, puis rougi. Ce qui avait fait rire Kate.

— Ne sois pas stupide... *I'm not hitting on you !*

Todd avait eu l'air soulagé. La perspective d'avoir à refuser les avances de Kate, sa supérieure, n'étant pas des plus réjouissantes.

— *Sorry...* Je ne sais pas ce qui m'a pris.

Kate avait souri tristement. Elle espérait avoir mal interprété la gêne de son collègue.

— Ne t'excuse pas… C'est le genre de comportement dont on peut s'attendre d'une alcoolique, doublée d'une *sex addict*, avait-elle ajouté avec sarcasme.

Todd n'avait rien dit. Le constat était banal tellement il était vrai.

— J'ai faim, avait lancé Todd au bout d'un moment. *You want to go eat a bite ?*

Kate comprenait qu'il cherchait à la sortir du bar.

— Je n'ai pas besoin d'un gardien, avait-elle répondu, à présent sur la défensive.

Todd avait secoué la tête.

— Je voulais seulement de la compagnie pour manger, Kate.

Puis il était parti, laissant Kate à sa bouteille et à son apitoiement.

37

Kate avait grimacé quand la portière de sa voiture s'était fermée trop bruyamment à son goût. Il faut dire que sa tolérance aux décibels était faible ce matin-là. Sa tête, comme un gros baril de métal, résonnait au moindre son à l'infini. Un expresso, deux aspirines et une douche froide n'avaient pas réussi à lui enlever le mal de tête lancinant qui l'avait cueillie à son réveil. Elle avait quand même été pleine de gratitude : elle ne s'était pas réveillée aux côtés d'un étranger.

En pénétrant dans la section réservée à leur unité, Kate avait tout de suite senti l'agitation qui y régnait. De toute évidence, tout un branle-bas de combat semblait s'être engagé en son absence.

— Paul…, avait dit Kate en le voyant surgir devant elle à l'improviste.

— Salle de réunion, avait-il dit avant de continuer sa route dans l'autre partie du bâtiment sans ajouter quoi que ce soit.

Kate avait obtempéré, mais avant de se diriger vers la salle, elle avait fait un arrêt aux toilettes pour vérifier son apparence. Si elle avait l'air de ce qu'elle ressentait, elle devrait faire un effort de maquillage. Elle n'avait pas eu tort. Tu ressembles à quelqu'un qui a dormi sur la corde à linge, s'était-elle dit en se voyant dans le miroir. Par un soir d'ouragan, avait-elle ajouté, dégoûtée.

Aux regards que l'équipe lui avait jetés en pénétrant dans la salle de réunion, elle avait cru ne pas avoir réussi son maquillage. Une remarque de Todd l'avait cependant détrompée à ce sujet.

— Kate, lui avait chuchoté Todd alors qu'elle prenait place à côté de lui autour de la table, cela fait déjà plus de deux heures que j'essaie de te joindre.

— *Shit!*

Kate n'avait pas juré pour rien. Elle venait de comprendre que l'équipe avait deviné la raison pour laquelle elle n'avait pas répondu à l'appel plus tôt. Elle était encore ivre de la veille. Et ils n'avaient pas tort.

— Ils ont fouillé le centre, avait annoncé Trudel en revenant dans la salle. Le cellulaire demeure introuvable...

— Le cellulaire? avait demandé Kate, la seule à ne pas être au courant.

Trudel lui avait jeté un regard qui en disait long.

— Celui d'Arthur Thérien. Le cellulaire à partir duquel a été envoyé un message texte au Dr Claude Thérien le jour avant sa mort.

Kate était sous le choc. Elle imaginait mal l'homme qu'elle avait vu la veille en train de tuer son propre fils.

— Mais n'importe qui aurait pu se servir du cellulaire d'Arthur Thérien, avait-elle tenté de les convaincre. Avez-vous envisagé cette possibilité? Et le message envoyé pourrait ne pas être un message invitant Claude Thérien dans la Bolton Pass... Y avez-vous pensé aussi?

— Ça, lieutenant McDougall, avait dit Trudel en la fixant durement, ce sont des questions auxquelles nous tentons tous de répondre depuis plusieurs heures.

Le silence qui avait suivi la déclaration de Trudel était éloquent. Ses collègues ne l'avaient jamais jugée pour ses frasques, mais ils commençaient de toute évidence à en avoir ras le bol.

Kate aurait voulu être ailleurs.

Et pour une fois ce n'était pas dans un bar.

38

Elle n'avait pas tout de suite compris la chance qui s'offrait à elle, alors, quand elle était arrivée dans le misérable taudis, elle était furieuse. Et elle ne dérageait pas depuis.

Il n'était pas très heureux. Elle aurait dû comprendre qu'il n'était pas responsable.

— Ce n'est pas ma faute, répétait-il. Il est arrivé de nulle part et quand il m'a vu, il s'est jeté sur moi. Il est fort pour son âge, il a presque réussi à me retenir...

— Tu ne m'avais pas dit qu'il avait vu ton visage. Il t'a reconnu ! Tu te rends compte ? Il peut t'identifier.

— C'est un vieux fou. Personne ne va le croire...

— Imbécile ! lui avait-elle crié à la figure, incapable de se retenir.

Il n'avait pas aimé son attitude. Elle n'allait pas le traiter de cette façon.

— Tu joues avec le feu, avait-il dit, les yeux méchants. Tu oublies ce dont je suis capable...

Elle avait presque éclaté de rire.

— Tu n'as pas impressionné Arthur Thérien, avait-elle plutôt rétorqué. Crois-tu que tu peux m'impressionner ?

Il avait voulu lui faire peur, mais soudain c'était lui qui frissonnait. Elle ne lui avait jamais montré ce côté tranchant de sa personnalité.

— Je vais nous préparer du café et nous allons examiner le problème, avait-elle ajouté par la suite, comme si de rien n'était. J'ai besoin de réfléchir…

Il n'avait rien dit, préférant faire le mort. Il l'avait regardée qui préparait le café et avait pris sans rechigner la tasse de liquide brûlant quand elle la lui avait tendue.

Ils avaient bu en silence.

Après un moment, elle avait quitté la table de la cuisine et s'était arrêtée, songeuse, près de l'évier. Elle avait ensuite lavé sa tasse et l'avait essuyée, toujours perdue dans ses pensées. Puis tranquillement, il avait vu un sourire se dessiner sur son profil.

— Tu as raison, avait-elle dit par la suite en se tournant carrément vers lui, affichant un large sourire. C'est un vieux fou. Personne ne le croira.

Elle s'était ensuite approchée du divan où il était allongé et lui avait passé délicatement la main sur le visage.

— Tu me pardonnes ? avait-elle murmuré tendrement à son oreille.

Son souffle chaud l'avait excité.

— Seulement si…

Et il avait chuchoté le reste.

Elle n'avait pas frissonné à sa proposition salace. Ni même eu un haut-le-cœur. Elle était trop heureuse. Elle avait trouvé un moyen de se débarrasser de lui et de clore l'enquête sur le meurtre de Claude Thérien.

Elle pourrait enfin commencer à vivre.

39

En voyant l'état dans lequel se trouvait le lieutenant McDougall en pénétrant dans son bureau en fin de journée, Marquise Létourneau n'était pas parvenue à demeurer impassible.

Kate avait pris place dans le fauteuil devant le bureau sans un mot. Elle préférait laisser le docteur attaquer la conversation.

— Les dossiers du Dr Thérien, avait commencé la psychiatre au grand soulagement de Kate, remontent à plusieurs années. Je n'ai donc examiné que ceux qui sont encore actifs. Parmi ces patients, aucun ne me semble capable d'avoir créé une mise en scène pareille à celle des pentacles, ou même avoir eu des raisons de le faire. À l'exception du patient dont il est question dans ce dossier...

Marquise avait tendu celui-ci à Kate.

— Je peux ? avait demandé Kate, surprise qu'elle accepte de le lui montrer.

— Ce n'est qu'une question d'heures avant que vous ne demandiez un mandat...

Kate avait les yeux fixés sur le nom inscrit sur la couverture.

Arthur Thérien, S-0138

— Lisez ce que Claude Thérien a surligné à la page 5…

Kate avait rabattu le couvert de la chemise et lu à haute voix les annotations du psychiatre.

— « Son délire paranoïde est lié à ma profession. Il croit que je suis une sorte d'incarnation du mal, un démon qui fait des expériences sur les cerveaux. Il croit que je lui veux du mal… »

Kate avait soupiré. Ce paragraphe à lui seul condamnait Arthur.

— Vous semblez troublée, avait remarqué Marquise Létourneau.

Kate avait été prise de court.

— Je… je ne voulais pas, avait avoué Kate piteusement. Je ne voulais pas qu'un autre père ait tué son fils.

Marquise Létourneau avait observé Kate en silence. Elle comprenait que Kate venait de faire preuve d'ouverture et elle cherchait un moyen de creuser la brèche avant qu'elle se referme. Au bout d'un moment, elle avait opté pour la ligne droite.

— Avez-vous pensé à ma proposition ? avait-elle demandé simplement.

Kate l'avait regardée.

— J'y pense… tous les jours.

La psychiatre avait hoché la tête.

— Et ?

— Je crois que je suis prête.

Marquise Létourneau avait souri.

— On se voit donc la semaine prochaine ?

Kate avait acquiescé.

Elle devait en finir avec elle-même… Une fois pour toutes.

40

La journée était radieuse. Un vent chaud balayait la région, invitant les gens à sortir de chez eux et à profiter du moment présent. Yvon Richard n'avait pu résister à l'appel de la nature.

Après avoir englouti, sous les yeux ronds de sa petite Caroline, un petit-déjeuner monstrueux, il avait embrassé sa femme, ébouriffé les cheveux de l'enfant et pris la route en direction de la Bolton Pass.

Peut-être était-ce son inconscient, ou simplement le fait que de cet endroit partait une des plus belles pistes de randonnée, toujours est-il qu'il avait garé sa voiture dans le champ où avait été abattu le Dr Thérien, et où ils avaient retrouvé le père de la victime.

Le sergent Yvon Richard garderait longtemps en mémoire le souvenir de cet homme.

Il avait pourtant reçu un entraînement complet avant d'entrer dans la police. Il avait pris connaissance des lois qui régissaient sa profession et protégeaient les citoyens. Il avait tout appris sur les armes. Comment s'en servir et surtout comment ne pas s'en servir en usant de techniques de dissuasion. Il avait assisté à des séances d'information sur le racisme, le sexisme et le harcèlement sexuel. On lui avait montré les pires horreurs pour qu'il puisse y faire face… Mais on ne l'avait jamais mis en présence de la folie.

Sa rencontre avec Arthur Thérien l'avait profondément ébranlé.

Il n'en avait pas parlé à la maison. C'était une règle. Il ne parlait jamais de son travail. Sa femme s'y était habituée, mais elle n'avait jamais réussi à cacher sa déception. Elle ne comprenait pas qu'il ne veuille pas partager son quotidien avec elle. Elle ne comprenait surtout pas qu'il cherchait à la protéger, à sauvegarder son innocence. Car Yvon Richard, malgré le fait qu'il n'était qu'un patrouilleur et non un enquêteur, avait déjà vu plus d'horreurs qu'il n'aurait souhaité en voir de toute sa vie. Et il aurait payé cher pour retrouver son innocence perdue.

Yvon se demandait depuis un moment s'il ne ferait pas mieux de quitter le service. Il devenait de plus en plus comme une éponge. Tout l'atteignait au plus profond de son être… Et il avait peur. Peur de perdre la tête. C'est probablement pour cette raison qu'il avait été aussi affecté par Arthur Thérien. La vue de cet homme, violenté de l'intérieur, l'avait tout simplement terrorisé.

En croisant les voitures des promeneurs du dimanche, il avait abandonné l'idée de partir en randonnée et avait plutôt décidé d'escalader la petite paroi à l'entrée du sentier. La raison en était simple. Il voulait être de retour pour le lunch et profiter du reste de la magnifique journée en compagnie de sa famille. Elle en avait besoin. Lui aussi.

Yvon Richard transportait en permanence la totalité de son équipement sportif dans sa fourgounette. Il ne manquait jamais une occasion de délier ses muscles et, comme les scouts, il voulait être toujours prêt. Avant d'entreprendre son ascension, il s'était donc harnaché correctement et avait rêtiré de son véhicule tous les pics, pitons, cordes dont il aurait besoin et il était parti en sifflotant en direction de la paroi.

Au beau milieu du champ, il s'était toutefois arrêté net de siffler. Son cerveau avait mis quelques secondes à décoder ce qu'il voyait, mais il avait finalement compris.

À l'endroit même où on avait découvert le corps du Dr Claude Thérien gisait un homme, une hache plantée dans le dos.

41

Ses sens retrouvés, le sergent Yvon Richard avait rapidement vérifié le pouls de l'homme. Considérant la quantité de sang entourant le corps et la position de la hache, il n'avait pas été surpris de découvrir qu'il était mort. Il avait alors signalé sa découverte au poste de Brome-Perkins et le capitaine Gendron, sans hésiter, avait aussitôt refilé le problème à l'ECV. Son raisonnement avait été simple. Deux crimes avaient été perpétrés au même endroit. Il ne pouvait s'agir d'une coïncidence. Surtout si l'on considérait le fait qu'un pentacle avait aussi été gravé sur le front de la seconde victime...

— *Shit! Shit! Shit!* n'arrêtait pas de dire Kate en faisant les cent pas autour du corps. Qu'est-ce que j'ai fait ?

À l'exception de Trudel qui s'était retiré à l'écart pour téléphoner au bureau du procureur, tous les autres membres de l'équipe assistaient impuissants au *mea culpa* de Kate. Qu'auraient-ils pu dire ? D'un côté, un homme venait d'être trouvé mort, un pentacle au front, une hache dans le dos... De l'autre, Arthur Thérien, bûcheron, schizophrène obsédé par l'incarnation du mal et unique suspect dans le meurtre de Claude Thérien, était toujours en liberté.

175

Personne, bien sûr, ne blâmait Kate. Elle n'aurait pas pu prédire le nouveau meurtre. Mais avec les preuves, aussi circonstancielles soient-elles, qu'elle avait entre les mains, si elle avait fait arrêter Arthur Thérien, l'homme serait encore en vie.

— *Shit!* s'exclamait de nouveau Kate. Mais pourquoi Arthur Thérien s'en serait-il pris à ce… Rick Éthier? Et qui est ce Rick Éthier? avait-elle lancé, furieuse, avant de quitter la tente sous laquelle elle et son équipe se trouvaient.

Ce dimanche, qui au départ s'annonçait radieux, s'était transformé en jour de printemps humide et pluvieux. À peine quelques minutes après la découverte du corps par le sergent Richard, le ciel s'était ennuagé et une petite pluie fine avait commencé à tomber. Elle s'était vite transformée en pluie torrentielle alors, en arrivant sur les lieux, les techniciens de la scène du crime avaient été obligés de monter des abris dans le but de protéger l'intégrité des preuves potentielles.

Installé sous une des tentes dressées entre les véhicules, le sergent Yvon Richard regardait maintenant Kate faire des allers-retours d'un groupe à l'autre. Il avait toujours admiré cette femme. Il voyait en elle une force qu'il ne pensait pas avoir. Celle de regarder le mal droit dans les yeux. Pour mieux le connaître et mieux le vaincre, croyait-il. Bien sûr, sa connaissance du drame familial du lieutenant n'était pas étrangère à son jugement. Elle peut affronter le mal parce qu'elle est née du mal, songeait-il en cet instant. Tandis que moi…

Il avait sursauté quand Kate s'était adressée à lui. Perdu dans ses pensées, il ne l'avait pas vue s'approcher.

— Lieutenant! avait-il aussitôt répondu.

— C'est vous qui avez trouvé le corps? avait demandé Kate en se secouant, aspergeant tout ce qui l'entourait d'une pluie de gouttelettes.

Le sergent avait acquiescé.

— Dites-moi ce que vous avez vu en arrivant ?

— Pardon ?

— Je veux savoir, avait-elle repris avec impatience, tout ce qui a accroché votre œil en arrivant… à partir du moment où vous avez rangé votre voiture le long de la route. C'est peut-être toute l'information pertinente qu'on pourra retirer de la scène, avait-elle ajouté, davantage pour elle-même qu'au bénéfice du sergent. Avec toute cette pluie…

— Ah… Oui. La scène était probablement déjà contaminée à votre arrivée.

Yvon Richard avait fermé les yeux.

— Avant de quitter mon véhicule, j'ai d'abord vérifié qu'il était bien rangé, à l'écart du trafic… J'ai ainsi remarqué qu'il n'y avait pas de voiture en vue. Ni sur la route, ni dans le champ d'ailleurs… parce que je me suis demandé si je n'avancerais pas mon véhicule plus près de la paroi rocheuse. À cause de l'équipement…

Kate avait hoché la tête.

— Ensuite, en sortant de la voiture… J'ai pensé à Arthur Thérien.

— Arthur Thérien ? avait répété Kate, soudain intéressée.

— Oui, mon collègue et moi… C'est nous qui l'avons embarqué quand le bénévole l'a retrouvé au pied de la paroi rocheuse.

— Ah… Continuez.

— En pensant à lui, j'ai automatiquement survolé la scène… enfin le champ… du regard. Je me souviens que le champ était vide. Je veux dire, il n'y avait personne de visible. Enfin… J'avais le sentiment d'être seul.

Kate le regardait avec intérêt.

— Il y a quelque chose qui ne va pas ?

— Vous savez «comment» regarder. Et vous êtes sensible. Des qualités d'enquêteur.

L'observation l'avait surpris.

— Croyez-moi, je suis meilleur patrouilleur, avait-il dit. Un peu trop sensible, justement.

— Vous croyez, mais vous avez tort. Pour comprendre une scène, il faut d'abord la ressentir. Être capable de se mettre dans la peau du personnage…

À la surprise du sergent, Kate s'était soudain arrêtée et semblait maintenant réfléchir à autre chose. Puis, elle avait regardé en direction du corps et avait grimacé, du moins était-ce ainsi que le sergent Yvon avait interprété son rictus.

— Paul! avait-elle ensuite crié en se dirigeant vers Trudel, laissant le jeune sergent Richard hébété et sans explication.

Trudel, qui s'était protégé de la pluie en se réfugiant sur le siège du conducteur d'un véhicule de service, lui avait fait signe de patienter. Il était au téléphone, attendant une réponse du bureau du procureur.

— Justement, avait dit Kate en faisant fi de son avertissement et en s'approchant du véhicule dont la portière était restée grande ouverte. J'ai besoin de te parler.

Trudel avait hésité, puis avait dit:

— Vas-y! Mais je ne raccroche pas… ça fait déjà une dizaine de minutes que j'attends.

— L'affaire ne tient pas debout, avait dit Kate tout de go, indifférente à la pluie diluvienne qui s'abattait sur elle. Je sais que personne ne peut nous assurer qu'Arthur Thérien n'a pas quitté le centre à l'heure présumée du crime et que les faits nous donnent l'impression que c'est Arthur qui a fait le coup, mais ça ne tient pas debout que ce soit lui.

Trudel avait soupiré lourdement.

— Un autre de tes *feelings*? avait-il demandé, un peu trop fort parce qu'il cherchait à couvrir le bruit du vent et de la pluie qui s'abattait en force sur la tôle du véhicule.

— Non. Une déduction logique ! avait rétorqué Kate au même volume. Arthur Thérien ne peut pas être à la fois un tueur fou et un meurtrier de sang-froid. Tu ne penses pas plutôt que quelqu'un cherche tout simplement à épingler Thérien pour lui faire porter le chapeau ?

— Kate… Arthur Thérien est un schizophrène. Il a tué lors d'une rechute et il vient vraisemblablement de tuer à nouveau.

— Mais justement ! Sa crise est maîtrisée. Je viens de l'interroger… et cet homme avait toute sa tête !

— Il avait toute sa tête à ce moment-là… Et ça, c'est si on peut se fier à ton appréciation de son état. Car, si je me souviens bien… tu n'es pas psychiatre. Mais qui te dit qu'il avait toute sa tête lorsque, aujourd'hui, il a tué cet homme ?

— *Shit*, Paul, tu présumes…

— Inspecteur Trudel à l'appareil, l'avait interrompue Paul en répondant au substitut du procureur maintenant au bout du fil. Oui, concernant l'affaire des pentacles…

Il lui avait tourné le dos tout en parlant.

Kate avait serré les poings, avant de saisir la portière du véhicule et de la claquer bruyamment.

— Arthur Thérien est innocent ! avait-elle crié à travers la vitre, puis elle avait tourné les talons et était allée rejoindre son équipe.

— Innocent ? lui avait demandé Todd, comme elle approchait de l'entrée de la tente où il se trouvait encore avec Labonté et Jolicœur à examiner le corps.

— Ne commence pas, avait dit Kate. Je n'ai pas besoin d'un autre Trudel dans ma vie.

Et elle avait bifurqué vers sa voiture de service, laissant Todd à ses considérations.

Todd, qui accordait généralement du crédit aux intuitions de Kate, était cette fois perplexe.

Était-ce l'intuition de Kate qui s'exprimait... ou son cerveau embrouillé par ses nuits blanches ?

42

Elle en tremblait encore. Elle n'avait jamais vécu rien de semblable. Mais la terreur et le dégoût qu'elle avait ressentis en valaient la peine. Claude Thérien était mort et Rick Éthier n'était plus là pour l'empêcher d'en jouir.

Par acquit de conscience, elle s'était malgré tout repassé le film dans sa tête. Elle était certaine de ne rien avoir laissé qui pourrait l'incriminer sur les lieux, mais quand même… Elle serait rassurée si elle revisitait mentalement « la chose » une dernière fois.

Ils avaient quitté la maison tôt le matin, après un petit-déjeuner arrosé de plusieurs bières. Elle qui n'en prenait jamais s'était efforcée d'en avaler quelques gorgées pour le tromper. Il avait été ému, croyant que les liens entre eux se resserraient. Elle avait souri, pour le berner davantage. Puis s'était assurée que tout était nettoyé avant de prendre la route.

— Nous allons revenir dans une maison propre, avait-elle menti. Prête pour un nouveau départ.

En réalité, elle avait effacé toute trace de sa présence dans la vie de Rick Éthier.

En montant dans sa voiture, il avait remarqué sa hache sur la banquette arrière.

— C'est pour le feu de bois, avait-elle menti rapidement. J'ai pensé qu'on pourrait se faire griller des hot-dogs sur place. Une sorte de pique-nique commémoratif, avait-elle ajouté avec un clin d'œil.

En arrivant, peu après, sur les lieux du crime, il avait versé une larme. Il y revenait pour la première fois depuis le meurtre. Depuis cet acte par lequel il était certain d'avoir conjuré le sort, et grâce auquel il avait enfin le sentiment que l'avenir lui appartenait. Que plus jamais il ne serait dépossédé de quoi que ce soit.

Elle lui avait servi une bière… suivie de trois autres.

Ensuite, elle lui avait demandé d'aller couper du bois pour le feu.

Il l'avait regardée, puis regardé sa montre. Il était neuf heures.

— Un peu de bonne heure pour les hot-dogs, avait-il dit en riant.

Elle avait été prise de court. À cause de son mensonge…

— J'ai un peu froid, avait-elle expliqué, ne trouvant aucune autre excuse, tout en espérant qu'il ne verrait pas la sueur qui lui perlait sur le front.

À son grand soulagement, il avait obtempéré. Heureux, comme il disait, de «participer» au couple. Et elle avait de nouveau souri… cette fois en le voyant tituber en direction du bois.

Profitant de l'absence de Rick, elle avait sorti de l'auto un vieil imperméable, un chapeau et des bottes de pluie, qu'elle avait revêtus. Puis elle avait enfilé une paire de gants de latex.

De retour, les bras chargés de bois, il avait ri de son accoutrement.

— Qu'est-ce que tu fais habillée comme ça? Il fait soleil!

Elle avait souri gauchement.

— Un nuage a passé… et j'ai pensé qu'il allait pleuvoir.

Il avait ri d'elle, invoquant qu'elle était une « vraie » femme, qu'elle n'était pas faite en chocolat, qu'elle ne fondrait pas…

Elle n'avait pas réagi.

Il lui avait remis la hache qu'elle avait prise de ses mains gantées. Il n'avait pas remarqué les gants, trop absorbé qu'il était à rire de ses remarques désobligeantes sur les femmes…

Et il s'était ensuite penché pour faire un feu.

Les secondes lui avaient paru interminables entre le moment où elle avait soulevé la hache et l'avait abattue sur le dos de l'homme. Elle s'était vue comme dans un film au ralenti. La sueur perlant sur son front, son cœur battant à tout rompre, sa respiration au bord de l'hyperventilation.

Puis, il était tombé, face contre terre. Raide mort.

Elle était morte avec lui, quelques secondes. Ensuite, son cœur avait explosé de joie et elle avait presque hurlé.

Réussissant à se contenir, elle avait regardé autour d'elle, vérifiant qu'il n'y avait ni voiture ni humain en vue.

Rassurée, elle avait alors délicatement pris la tête du mort et l'avait tournée sur le côté. En voyant qu'il était mort les yeux ouverts, elle avait frissonné. Des yeux de poisson mort, avait-elle pensé.

À l'aide d'une des bouteilles de bière qu'il avait vidées et du canif qu'il traînait toujours dans ses poches, elle avait tracé sur son front un pentacle entouré d'un cercle.

La tâche l'avait dégoûtée. Elle avait failli vomir. Mais elle avait réussi à se maîtriser. En pensant à son fils…

Elle avait ensuite rapidement rangé dans le coffre tout ce qu'elle avait sorti de la voiture et avait pris la direction de sa maison, non sans avoir, au préalable, retiré les bottes, le chapeau, les gants et l'imperméable tachés de sang et les avoir fourrés dans un sac-poubelle.

À présent, elle souriait.

Non. Elle n'avait rien laissé au hasard. Elle pouvait maintenant respirer.

43

Vers quinze heures, Sylvio Branchini avait téléphoné à Kate et lui avait demandé de passer chez lui. Kate n'avait pas exactement compris les motifs qu'il avait invoqués, Sylvio s'étant montré étrangement vague et confus, mais cela n'avait pas d'importance. Si Sylvio avait besoin d'elle, c'est tout ce qu'elle devait savoir. Et elle ne crachait pas sur l'occasion de penser à autre chose qu'à l'enquête... et à Paul Trudel.

Elle était arrivée chez les Branchini un peu après dix-huit heures et avait été surprise de voir que les enfants n'étaient pas à la maison.

— Ils avaient une fête... chez des amis, avait expliqué Sylvio, les yeux dans son assiette.

— C'est bon, avait dit Kate. La vie continue...

Sylvio n'avait rien ajouté, ce qui avait étonné Kate. Car, dernièrement, il ne ratait jamais une occasion de discuter de sa progéniture avec elle.

— C'est toi qui as préparé le repas ? avait-elle demandé à Sylvio pour alimenter la conversation en attendant qu'il se décide à parler.

— Victoria m'a aidé..., avait-il répondu.

Ils avaient ensuite mangé en silence.

Kate commençait sérieusement à se demander s'il n'avait pas quelque chose de grave à lui annoncer. Une maladie, un problème avec un des enfants…

— Si tu me disais ce qui te tracasse ? avait-elle suggéré simplement après un interminable silence.

Sylvio avait franchement l'air misérable.

— As-tu besoin de parler de Nico ? avait tenté Kate.

Sylvio s'était levé de table. Encore plus mal à l'aise, semblait-il. Kate avait même eu l'impression qu'il regrettait de l'avoir invitée.

— Mais qu'est-ce qu'il y a ? avait insisté Kate.

— *Cara*…, avait commencé Sylvio, presque à contrecœur. Trudel m'a téléphoné.

— Trudel…, avait répété Kate, hébétée.

— Il s'inquiète… pour toi, avait ajouté Sylvio timidement.

— Il s'inquiète pour…

Kate n'en revenait pas.

— C'est pour ça que tu m'as fait venir à Montréal ? Pour me rapporter ta conversation avec Trudel ?

Sylvio ne savait plus où regarder.

— Et moi qui croyais que tu étais dans le besoin…, avait ajouté Kate en envoyant valser sa serviette de table avant de se diriger vers l'entrée.

— Kate… Ne t'en va pas…

Kate s'était retournée vers Sylvio. Elle était furieuse.

— Si Trudel a quelque chose à me dire, qu'il le dise. Et comment as-tu pu penser que j'accepterais que tu sois son porte-parole ?

— Je n'ai pas pensé que tu accepterais… J'ai cru qu'il valait mieux.

Kate était restée interdite.

— De quoi parles-tu ?

Sylvio l'avait prise par la main et entraînée vers le salon. Il lui avait fait signe de s'asseoir et avait pris place dans le fauteuil en face d'elle.

— Je n'irai pas par quatre chemins. As-tu recommencé à boire ?

— Quoi ?

— As-tu un problème de consommation ?

— Je ne vois pas en quoi ça te concerne, avait rétorqué Kate, à présent complètement sur la défensive.

— Ça me concerne parce que je suis ton ami et que je veux ton bien.

— Merci, mais je peux m'arranger toute seule.

— Trudel n'est pas de cet avis…

— Je n'en reviens pas ! s'était exclamée Kate. Voilà qu'il fait faire ses commissions par les autres !

— Kate…

— S'il pense que…

— Kate !

Elle était restée saisie. Sylvio avait presque crié, lui qui n'élevait jamais la voix.

— Paul croit que tu as grandement besoin d'un ami en ce moment. Et pas d'un supérieur… comme lui.

Kate ne comprenait pas.

— Qu'est-ce que tu essaies de me dire… que Paul ne peut pas être mon ami… et mon supérieur ?

— Il faut que tu comprennes, *cara*… Ses circonstances de vie ont changé…

— Circonstances de vie ? avait répété Kate qui avait l'impression que le sang se retirait de son corps.

Sylvio avait soupiré.

— Il va avoir un enfant, Kate. Tu comprends ? Il ne peut plus vivre un ménage à trois…

44

Kate avait éclaté comme une bombe.

— Un ménage à trois ! s'était-elle exclamée en sautant du divan. De quoi il parle ? On a fourré, Sylvio. Et une misérable fois !

— C'est juste une façon de…

— C'est tout ce qu'il a trouvé pour se justifier ? Se faire croire que nous vivions un « ménage à trois » ?

Sylvio avait tenté de la raisonner, mais Kate l'avait engueulé vertement et était partie sans lui dire bonsoir.

À l'approche du village de Perkins, Kate n'avait toujours pas décoléré.

— Aussi bien leur donner raison, avait-elle marmonné, en actionnant son clignotant, indiquant ainsi qu'elle avait l'intention de tourner dans le stationnement du Thirsty Cowboy.

Il était vingt-trois heures et l'endroit était bondé. Kate s'était aussitôt dirigée vers le bar et avait commandé deux bières.

— *Keep them coming*, avait-elle dit à Bill.

— Gros jour ? avait-il demandé dans son français approximatif.

— Grosse vie, avait bêtement répondu Kate, avant de vider d'un trait sa première bière.

Elle ne parvenait pas à décider ce qui l'enrageait le plus. La couardise de Paul ou la compromission de Sylvio dans le stratagème de ce dernier. Dans son esprit il n'y avait aucun doute, Trudel n'avait pas voulu la confier aux bons soins d'un ami, il avait lâchement choisi de lui annoncer la grossesse de Julie par l'entremise de Sylvio.

Elle avait vidé sa deuxième bouteille.

Après en avoir commandé deux autres, elle s'était dirigée vers une table qui venait de se libérer le long du mur. Elle n'était pas la seule à avoir eu cette idée. Un grand cow-boy taciturne avait aussitôt pris place à ses côtés.

— La table est prise, Lucky Luke, avait-elle dit sans le regarder.

— *I don't mind, if you don't*, avait-il rétorqué.

Elle l'avait détaillé du regard, puis décidé de l'ignorer. Et ils avaient bu leurs bières en silence dans le vacarme du bar.

— *Want another one ?* avait demandé l'étranger en déposant sa dernière bouteille sur la table. *Or do you feel like having a little fun ?*

Et, sous la table, il avait glissé une main sur la cuisse de Kate, puis poussé son audace jusqu'à son entrejambe. Kate l'avait toisé du regard, mais n'avait fait aucun geste.

— J'ai un *pick-up* à l'arrière…

Il s'était levé et Kate l'avait suivi comme un automate.

Dans le stationnement, il s'était retourné et, avant qu'elle n'ait eu le temps de réagir, l'avait empoignée et retournée contre lui, une main glissée dans son entrejambe et l'autre enfournée dans son chemisier. Kate avait grogné, partagée entre le plaisir que lui procurait le mouvement incessant de ses mains et l'envie de fuir. Puis, ses mains agrippant son sexe et sa poitrine, il l'avait traînée au fond du stationnement où se trouvait son *pick-up*.

Ses bras étaient puissants et Kate savait qu'elle était à sa merci. Mais elle s'en foutait. Elle avait besoin du plaisir qu'il lui procurait comme on a besoin de respirer.

Il avait ouvert la portière côté passager et l'avait renversée face contre le siège. Il était allongé sur son dos, une main retenant les siennes au-dessus de sa tête, l'autre sous elle, fouillant son pantalon.

Elle avait laissé échapper un petit cri quand la main de l'homme avait atteint sa toison et glissé, chaude, contre son sexe. Il l'avait tenue en coupe un long moment, laissant le désir monter. Ensuite, très lentement, il avait glissé un doigt dans le sexe humide de Kate. La décharge de plaisir avait été instantanée et elle avait gémi.

Il l'avait maintenue dans cette position jusqu'à ce qu'elle soit au bord de la jouissance puis, d'un geste brusque, l'avait retournée sur le dos. D'une main habile, il avait ensuite baissé le pantalon de Kate jusqu'à ses chevilles et, à coups de bassin, s'était forcé un chemin entre ses jambes, écartant grand ses genoux, offrant son sexe aux regards.

Kate était entièrement sous son emprise. Quelque part au fond de son cerveau aurait dû tinter une sonnette d'alarme, mais elle ne s'était pas manifestée, le goût de l'interdit et de la transgression l'emportant sur son jugement. Elle risquait sa carrière, si quelqu'un la surprenait dans cette position compromettante. Mais c'était plus fort qu'elle. Elle voulait que cet homme la ravage. Elle le voulait férocement.

— *Fuck me! For God's sake, fuck me!* l'avait-elle imploré.

D'une main experte, il avait prestement ouvert sa fermeture éclair, sorti son sexe érigé et il l'avait pénétrée. D'un coup. Sans ménagement. Et il l'avait prise. Encore et encore. Martelant son sexe, s'accrochant à ses seins, jusqu'à ce qu'il ne reste plus une seule goutte de plaisir dans son corps.

Jusqu'à ce que Kate crie de plaisir… de douleur et de rage.

45

À son réveil, Kate avait titubé jusqu'à la salle de bains. Ce qu'elle avait vu dans le miroir lui avait soulevé le cœur. Ses seins et ses cuisses étaient couverts de bleus, et elle avait dû se frapper le visage contre la boîte de vitesses du pick-up car, sous l'œil gauche, elle avait une petite coupure et le début d'un œil au beurre noir. J'ai déjà vu des victimes de viol qui avaient moins d'hématomes, avait-elle songé, dégoûtée d'elle-même.

Elle s'était traînée sous la douche et y était demeurée près d'une demi-heure, cherchant vainement à effacer les traces de sa transgression nocturne. Elle était tentée d'en vouloir à Paul et à Sylvio, de les rendre responsables de sa dégradation, mais elle savait qu'il y avait longtemps qu'elle avait, seule, commencé le processus de sa propre destruction.

Sa douche prise, elle avait essayé de se faire un maquillage décent. L'œil n'échapperait pas à ses confrères, mais elle pouvait au moins tenter de se soustraire aux regards scrutateurs de la population.

Elle avait mangé un solide petit-déjeuner et bu un litre d'eau. Puis elle avait pris son courage à deux mains et était partie pour le poste de Brome-Perkins. En route, elle avait reçu un appel de Todd. L'inspecteur Trudel avait vraisemblablement réussi à convaincre le procureur Marchand d'émettre un mandat d'arrêt contre Arthur Thérien.

— *Shit!*

Todd n'aimait pas plus que Kate la perspective d'arrêter Arthur Thérien, mais cela n'avait rien à voir avec son innocence ou sa culpabilité. Il n'aimait tout simplement pas l'idée qu'encore une fois, dans l'opinion publique, la nouvelle ferait de tous les schizophrènes des *serial killers*.

— On se retrouve au centre? avait-il dit après un moment.

— Tu as le mandat?

— *In my pocket!*

— Allons-y…, avait soupiré Kate.

— Ça va? avait demandé Todd, à qui rien n'échappait.

Kate avait hésité avant de répondre.

— *As usual*…, avait-elle finalement dit, optant pour l'esquive.

Mais Todd n'avait pas mordu.

— Si c'est comme d'habitude… il y a sûrement quelque chose qui cloche, avait-il répondu avant de raccrocher sans lui laisser le temps de réagir.

46

— Ne me dis pas que tu as foncé dans une porte, avait lancé Todd en apercevant le visage de Kate comme elle descendait de voiture. *What the fu...*

Kate n'avait pas gratifié sa question d'une réponse. Elle avait simplement articulé silencieusement les mots « *Time out !* » en les accompagnant d'un geste symbolique.

Todd était peiné de voir sa collègue dans cet état, mais il avait respecté son souhait. Il avait depuis longtemps compris qu'il était inutile d'insister avec Kate.

Ils avaient marché en silence jusqu'à la réception du centre, où le Dr Pelland les attendait. La psychiatre, qui avait été avertie des motifs de leur visite, les avait informés qu'elle avait fait le nécessaire pour préparer le vieillard.

Kate s'était passé la remarque que le docteur n'offrait aucune résistance à l'arrestation de l'homme. Aucune compassion... Le croit-elle coupable ? s'était demandé Kate. Ou cela fait-il son affaire que nous le croyions ?

En arrivant dans la chambre, ils avaient trouvé Arthur qui les attendait calmement, assis sur le bord de son lit.

Kate lui avait expliqué qu'ils allaient maintenant l'emmener au poste et l'interroger sur certains points. Elle lui avait aussi spécifié que, à moins d'un miracle, il fallait qu'il s'attende à ce que l'interrogatoire finisse par une inculpation. Souhaitait-il avoir recours à un avocat ?

Kate aurait pu, bien sûr, ne pas avertir l'homme, l'emmener et l'interroger en espérant qu'il ne réclamerait pas la présence d'un avocat... Mais la chose aurait été stupide. L'homme souffrait de maladie mentale et avait besoin de protection, aux yeux de Kate, sinon aux yeux de la loi, au même titre qu'un enfant.

L'homme avait levé la tête et regardé Kate droit dans les yeux. Contrairement à la dernière fois, ses yeux n'étaient pas morts. Ils n'étaient que chagrin. Kate avait vacillé.

— Je ne veux pas d'avocat, avait dit l'homme. Et le Dr Pelland peut témoigner que je le fais en connaissance de cause.

Les enquêteurs avaient regardé la femme qui avait aussitôt acquiescé. Et, encore une fois, Kate avait remarqué l'absence d'empathie de la psychiatre.

Ils n'avaient pas cru nécessaire de lui mettre des menottes. La scène était déjà suffisamment pathétique. De plus, Arthur Thérien n'offrait aucune résistance.

Puis, le cortège s'était dirigé en silence vers la sortie.

Arrivés dans le hall d'entrée, ils avaient été surpris de découvrir un petit attroupement. Parmi le groupe... Emma Dawson, la mère de Todd.

Elle et Todd avaient croisé leurs regards. *I love you*, l'avait-il vue murmurer à son intention. Emma avait compris combien cette arrestation peinait son fils et elle voulait lui faire sentir qu'elle comprenait. *I love you too*, avait articulé Todd à son tour.

Élisabeth avait choisi ce moment pour s'élancer vers Arthur.

— Toto ! Mais où vas-tu ?

Mary Pettigrew, qui reniflait dans son coin, l'avait rattrapée avant qu'elle ne l'atteigne.

— Élisabeth ! Il faut laisser Arthur tranquille...

— Mais lâche-moi ! criait la petite en tentant de se dégager. Je dois protéger Toto…

Arthur avait tourné la tête dans leur direction.

— Ne t'inquiète pas, Lili. Sois sage ! Et écoute Pet…, avait-il ajouté avec un maigre sourire.

La jeune fille avait éclaté de rire.

Mary Pettigrew avait eu l'air embarrassé.

Et le cortège avait enfin pu quitter le centre.

47

L'interrogatoire s'était déroulé dans une salle aménagée à cet effet dans la nouvelle section du poste de Brome-Perkins. Jouxtant cette salle se trouvait également une salle d'observation cachée derrière un miroir sans tain. Entre Trudel et Kate, qui avaient pris place dans cette pièce, il y avait plus de tension que dans la salle d'interrogatoire.

Trudel avait eu un mouvement de recul en voyant le visage de Kate à son arrivée au poste, mais il n'avait rien dit. Sylvio lui ayant fait part de la réaction de Kate à leur conversation, il ne voulait surtout pas ouvrir la porte à un échange sur leur vie privée. À vrai dire, Kate n'aurait pas mordu à l'hameçon. Elle était trop troublée pour exprimer quoi que ce soit.

De l'autre côté du miroir, Todd, qui devait questionner Arthur, n'arrivait pas à grand-chose. Pourtant Arthur Thérien ne montrait aucun signe de résistance. Il répondait volontiers à toutes les questions. Mais ses réponses…

Arthur n'avait pas le moindre souvenir d'avoir quitté le centre le matin du crime et surtout pas le souvenir d'avoir frappé Rick Éthier avec une hache. Il était plutôt convaincu d'avoir passé la matinée à se promener dans le bois à l'arrière du centre.

Par ailleurs, après avoir regardé une photo de la victime, il avait tout de suite accusé Rick Éthier d'avoir tué son fils... Ou du moins le croyait-il. Cependant, peut-être avait-il tout imaginé... Et peut-être avait-il lui-même tué son fils.

— L'homme a peut-être tué son fils parce qu'il était en crise, insistait maintenant Kate, mais il n'était pas en crise hier, au moment du meurtre d'Éthier. Paul... Arthur Thérien n'a pas tué Rick Éthier de sang-froid.

— As-tu des preuves indiquant le contraire ? avait répondu Trudel.

— Non, mais...

— Mais, l'avait-il interrompue, on a des preuves circonstancielles qui l'incriminent suffisamment pour l'inculper.

— Tu crois à sa culpabilité ? avait rétorqué Kate.

— Ce que je crois importe peu. Vous avez monté un dossier contre lui suffisamment convaincant pour justifier une inculpation. Ce sera au jury de décider s'il est coupable ou non.

— Et tu me jures qu'il n'y a aucune raison administrative dans ta décision d'inculper l'homme ? avait-elle demandé, sournoise.

Paul l'avait toisée du regard.

— Aucune. Même si dans les faits cette inculpation arrive à point, avait-il ajouté en la défiant.

Dans la salle d'interrogatoire, Todd s'était tourné vers eux. Qu'est-ce que je fais maintenant ? semblait-il leur demander à travers le miroir.

Trudel avait appuyé sur le bouton lui permettant de faire entendre sa voix de l'autre côté.

— Le lieutenant McDougall va se joindre à vous, avait-il dit, indiquant par ces mots qu'ils allaient procéder officiellement à l'arrestation de l'homme.

Kate avait fixé Paul rageusement. Sa colère l'étouffait tellement elle ne trouvait pas d'exutoire. Il n'y avait pas que l'arrestation d'Arthur Thérien qui lui entravait la gorge, elle le savait, mais elle n'y pouvait rien. Si son cellulaire ne s'était pas fait entendre à cet instant, elle se serait ruée sur Trudel et l'aurait martelé de ses poings.

— McDougall, avait-elle répondu, la voix blanche.

— J'ai des nouvelles intéressantes…

— Labonté ?

— En personne. Le Laboratoire a finalement terminé l'analyse des bouteilles ramassées sur la scène après le meurtre du Dr Thérien…

Kate était maintenant tout à fait attentive.

— Sur le goulot d'une des bouteilles, ils ont trouvé des cellules épithéliales et du sang avec la signature génétique du docteur. Et écoute ça… Ils ont aussi trouvé les empreintes de Rick Éthier.

48

Arthur Thérien avait été reconduit au centre. La découverte des empreintes de Rick Éthier sur la bouteille de bière venait de confirmer les allégations du vieil homme. Éthier avait apparemment tué le psychiatre. Mais qui avait tué Rick Éthier ?

Bien sûr, Arthur Thérien avait maintenant un puissant mobile. Venger la mort de son fils. Cependant, il demeurait un suspect, et il n'était plus question d'arrestation pour l'instant.

— Qu'est-ce qu'on sait ? avait demandé Kate à son équipe, maintenant installée autour de la table dans la salle de réunion. En commençant par le meurtre de Claude Thérien…

— On peut vraisemblablement présumer, avait dit Labonté, que Rick Éthier s'est servi du cellulaire d'Arthur Thérien pour fixer un rendez-vous entre le père et le fils dans la Bolton Pass…

— Mais on ne sait pas comment il l'a obtenu, ni où se trouve le cellulaire…, avait ajouté Kate, songeuse.

— On ne peut pas mettre la carabine dans les mains d'Éthier, avait poursuivi Jolicœur, mais on a ses empreintes sur la bouteille qui a servi à former le cercle dans le front de la victime. C'est suffisant.

— Admettons, avait dit Kate. Son mobile maintenant… Et pourquoi les pentacles ?

— Les pentacles pour faire diversion, avait répondu Labonté comme s'il s'agissait d'une évidence. Peut-être cherchait-il à orienter l'enquête sur Arthur Thérien, tablant sur son équilibre fragile, ou peut-être que l'histoire des pentacles n'était qu'une mise en scène pour nous faire croire à un rituel satanique… Le résultat demeure le même. Il voulait brouiller les pistes. C'est le pourquoi du meurtre qui est moins évident…

Kate avait penché la tête d'un côté et de l'autre, puis décidé d'attaquer la question sous un autre angle.

— Qu'est-ce qu'on sait sur Rick Éthier ?

Todd avait tapoté la table avec son crayon.

— Un gars du coin. Un vétéran des chèques du B.-S. Le gars passait sa vie entre le Thirsty Cowboy et son meublé.

À la mention du Thirsty Cowboy, Kate avait involontairement porté la main à son visage. Le geste n'était pas passé inaperçu des membres de l'équipe.

— Labonté et Jolicœur, avait ordonné Kate en se tournant vers eux, occupez-vous de trouver le lien entre le Dr Claude Thérien et Rick Éthier. Commencez par le Thirsty Cowboy, puis voyez avec les gens du village…

— On est déjà en route, avait lancé Jolicœur en faisant signe à Labonté de récupérer son imperméable sur la patère derrière lui.

Les deux sergents partis, Kate avait enchaîné.

— La mort de Rick Éthier, maintenant. Qu'est-ce qu'on sait ?

Trudel était venu se joindre à Todd et à Kate autour de la table.

— Si ce n'est pas Arthur Thérien qui l'a tué pour venger la mort de son fils…

Kate l'avait regardé de travers.

204

— Il se pourrait que nous ayons affaire à un tueur opportuniste.

Kate et Todd avaient échangé un regard.

— Un deuxième tueur…, avait dit Kate. Cela pourrait expliquer mon impression de la présence d'un complice…

— Un ennemi de Rick Éthier, avait poursuivi Trudel, qui a reproduit le M.O. du meurtre de Claude Thérien pour nous faire croire qu'il s'agissait du même tueur…

— Ne sachant pas que Rick Éthier était l'auteur du meurtre, avait terminé Kate.

— Exact, avait dit Trudel.

Kate avait réfléchi quelques instants, puis elle avait toisé Paul du regard et avait ajouté, pleine de sous-entendus :

— Un autre qui s'est fait prendre à son propre jeu !

49

En sortant du poste de Brome-Perkins, Kate n'était pas partie en direction de son chalet. Elle avait besoin de réfléchir et, par expérience, elle savait que sa vieille Land Rover était l'endroit idéal. Elle avait donc pris la route sans but précis, se laissant guider uniquement par la beauté du paysage qui l'entourait.

Le printemps s'était définitivement installé. La nature explosait de partout, et le soleil de fin de journée qui filtrait à travers le feuillage naissant créait des jeux d'ombres et de lumières mordorées. Un véritable festin pour les yeux.

En quittant la route principale pour prendre un petit rang sinueux, Kate avait, une fraction de seconde, aperçu son visage dans le rétroviseur. Le souvenir de ses ébats dans le parking du Thirsty Cowboy était aussitôt revenu la hanter.

Ce n'était pas la première fois qu'elle se laissait aller à ce type d'aventure, mais c'était la première fois qu'elle en ressortait aussi... salie. Au point où elle se sentait presque déplacée dans la nature vierge qui l'entourait. Ce sentiment était étrange. Il ne s'apparentait à rien de moral ni de religieux. Il avait à faire avec la pureté originelle. Celle du bébé naissant...

Cette pensée l'avait énervée au point où elle avait été obligée de s'arrêter sur le bord du rang.

Bien sûr qu'elle avait la grossesse de Julie en travers de la gorge. Lorsque Paul et elle se fréquentaient, il n'avait jamais abordé le sujet avec elle. Et maintenant il allait être père? C'est vrai, Kate n'avait jamais parlé d'avoir des enfants, mais si on le lui avait demandé...

— Si Paul me l'avait demandé, avait murmuré Kate dans la voiture, aurais-je accepté?

La réponse qui lui venait à l'esprit était difficile à admettre. Mais elle la savait vraie. Elle lui aurait dit non.

Kate en prenait maintenant conscience. Elle n'avait jamais ressenti le besoin d'avoir un enfant... ni même senti l'urgence de la fameuse horloge biologique. Pourquoi? se demandait-elle maintenant.

Kate avait grimacé.

La réponse était limpide. Comment penser mettre un enfant au monde quand on est encore soi-même un enfant? Je n'ai jamais quitté mon enfance, songeait-elle. J'en suis prisonnière.

Kate avait soupiré lourdement. Ce poids, elle n'en voulait plus. Elle le rejetait maintenant aussi violemment qu'elle avait longtemps repoussé la vie.

Elle avait redémarré et poursuivi sa route. C'est en songeant à quel point elle avait laissé le passé gruger son présent qu'elle s'était demandé s'il en avait été ainsi pour Claude Thérien. Si son passé n'avait pas tout à coup surgi dans son présent...

Il était évident pour Kate que s'il existait un lien entre Rick Éthier et Claude Thérien, ce lien devait appartenir au passé. Rien dans leurs situations actuelles ne semblait pouvoir les unir...

En réfléchissant à cette question, Kate avait machinalement pris la route de Serenity Gardens et, en passant devant le stationnement, elle avait soudain eu envie de s'y arrêter. Le jour tirait à sa fin, mais il restait une bonne heure de clarté. Et sûrement que, dans les jardins, les crocus et les jonquilles seraient en fleurs.

À cette heure, les résidents du centre étaient nombreux à déambuler dans les allées, admirant le travail qu'ils avaient accompli. Aussi insignifiant soit-il, car chaque geste productif était grandement encouragé au centre.

— C'est vous qui avez fait ça, Emma ? demandait un jeune préposé à Emma Dawson qui lui montrait un rosier parfaitement émondé. Bravo !

La femme avait rosi de plaisir.

— Bonjour Emma, avait dit Kate en arrivant près d'elle.

— Oh, Kate...

Voyant qu'Emma avait de la compagnie, le préposé s'était éloigné pour s'occuper d'un autre résident. Kate avait pris Emma par le coude et elles étaient allées s'asseoir sur un des bancs.

— Comment allez-vous, Emma ?

La vieille dame avait souri puis avait dit, avec un clin d'œil :

— Mieux qu'il y a dix ans !

Kate avait souri à son tour.

— Est-ce que tu sais, Kate, que dans la majorité des cas les symptômes de la schizophrénie diminuent avec l'âge ?

— Je ne savais pas...

— C'est Todd qui est content. Maintenant, on peut avoir des conversations seule à seul. Avant... On était toujours cinq ou six. Et j'étais seule à entendre les autres !

Kate avait éclaté de rire.

— Remarque... Ça me donnait un certain avantage dans les discussions.

Emma avait continué sur sa lancée pendant quelques minutes, au grand plaisir de Kate, puis elle avait pris congé, invoquant une émission de télé qu'elle ne voulait pas rater. Kate l'avait aidée à se relever et l'avait accompagnée jusqu'à l'entrée principale.

— *Oh, there's that awfull woman*, lui avait murmuré Emma en indiquant une femme rondelette qui attendait sur la galerie devant les portes du centre.

Kate avait regardé la femme.

— Pourquoi dites-vous ça, Emma ? avait-elle demandé à la vieille.

Emma avait haussé les épaules.

— *She's empty.*

— Elle est vide, avait répété Kate en riant, surprise par la réponse.

— *Yes... No love.*

Et elle s'était empressée de monter l'escalier, ignorant volontairement la femme tandis qu'elle passait devant elle.

Kate avait ri. Sûrement une lubie, avait-elle pensé.

— Salut, Kat !

Kate avait sursauté. La petite était arrivée derrière elle sans un bruit.

— Élisabeth, tu m'as fait peur.

— Je t'ai déjà dit de ne pas faire ça, avait alors dit la femme qui attendait sur le palier. Et qu'est-ce que tu faisais dans le bois ? avait-elle aussitôt attaqué.

En deux secondes, la femme avait bondi au bas de l'escalier et agrippait solidement la petite par le bras, la sermonnant vertement, lui reprochant ses escapades d'enfant gâtée.

— Tu as pensé à moi ? disait-elle maintenant en entraînant Élisabeth à l'intérieur du centre, sans un regard pour Kate.

Kate en était restée abasourdie.

Oui, quelle horrible femme, avait-elle songé en retournant à sa voiture. Emma a raison. *No love.*

Puis, les larmes lui étaient montées aux yeux en pensant à Élisabeth. Comment peut-on ne pas aimer son enfant ? avait-elle songé. Comment peut-on ?

Mais elle savait qu'il n'y avait pas de réponse à cette question.

50

Marquise Létourneau fixait Kate qui, le front appuyé contre la fenêtre, observait les allées et venues des passants dans le stationnement de l'édifice qui abritait le cabinet du docteur.

— On dirait des fourmis, disait Kate. Vous croyez que quelqu'un nous regarde d'en haut ? Comme nous observons les fourmis ?

— En d'autres mots... Dieu existe-t-il ?

— On ne peut rien vous cacher, avait dit Kate en retournant s'asseoir dans le fauteuil réservé aux patients.

La psychiatre l'avait regardée attentivement.

— Pourquoi cette question ?

Kate avait souri tristement.

— S'il existe... Il doit en avoir marre de voir les humains agir comme ils le font.

— Les humains..., avait répété le docteur. En général ? Ou pensez-vous à un humain en particulier ?

Kate fixait ses mains, évitant soigneusement le regard du docteur. Avec ses doigts, elle triturait le tissu qui recouvrait le fauteuil.

— Que s'est-il passé, Kate ?

Kate était restée silencieuse un long moment, puis, sans lever les yeux, avait dit dans un murmure :

— Il va avoir un enfant…

Marquise Létourneau avait d'abord froncé les sourcils, puis avait compris.

— Ah… Paul Trudel, avait dit la psychiatre, qui connaissait tout du passé de Kate. Oui, j'ai su.

Kate l'avait regardée avec de grands yeux ronds.

— Un inspecteur de la SQ avec une relationniste de la SQ… Les nouvelles se répandent vite.

— Pas assez vite pour se rendre jusqu'à moi, avait dit Kate avec amertume.

Marquise Létourneau avait gardé le silence, attendant patiemment la suite.

— J'ai passé mon existence à lutter contre mon passé… Et pas une seconde je n'ai pensé à me bâtir une vie.

— Vous en avez une, Kate. Vous avez un métier dans lequel vous excellez, vous avez des amis…

— Mais je n'ai pas de famille.

— Non, vous n'en avez pas. Du moins, pas dans le sens traditionnel. Mais la famille, aujourd'hui… elle peut prendre différentes formes. Vous devriez réfléchir à ça…

Kate avait remué sur son siège. De toute évidence, elle n'appréciait pas le discours du docteur.

— C'est l'annonce du bébé, avait poursuivi Marquise Létourneau avec précaution, qui vous a mise dans cet état ?

Puis elle avait fait un geste en direction du visage de Kate.

Kate avait acquiescé silencieusement.

— La nouvelle, le messager… et l'inconnu avec qui j'ai fourré dans un parking, avait brusquement avoué Kate.

Marquise Létourneau avait hoché la tête. Il ne s'agit donc pas uniquement d'alcool, avait-elle songé.

— Vous avez envie d'en parler ? avait demandé la thérapeute avec douceur.

Kate avait pris son temps, mais elle avait fini par tout raconter. Sa nuit avec Trudel, la conversation avec Sylvio, sa transgression nocturne avec le cow-boy...

— Avez-vous déjà vu un aussi bel exemple d'autodestruction ? avait-elle fini par demander.

Marquise Létourneau l'avait observée longuement avant de parler.

— Je ne crois pas que vous cherchiez à vous détruire. Vous oubliez que vous avez volontairement accepté de me rencontrer. Personne ne vous a forcée, cette fois...

Kate l'avait enfin regardée dans les yeux.

— Je n'ai pas le choix.

À la surprise de Kate, la thérapeute avait souri.

— On a toujours le choix, avait-elle dit. Et vous avez choisi de me consulter.

Kate avait médité sur ses paroles.

— Oui, j'ai choisi, avait-elle finalement admis.

— Ce sont nos choix qui définissent qui nous sommes..., avait continué la psychiatre. Qui nous indiquent... où nous en sommes.

— J'en suis où, d'après vous ? avait demandé Kate par boutade.

Marquise Létourneau l'avait fixée, puis avait répondu :

— Plus près du but que vous ne le croyez... Malgré votre épisode de transgression dans le parking.

51

Après son rendez-vous avec la psychiatre, Kate s'était arrêtée chez Bud's pour prendre un café. Elle avait besoin de se recomposer une personnalité avant d'affronter le point de presse prévu au poste de Brome-Perkins.

L'inspecteur Trudel avait insisté sur la nécessité de réunir la presse locale afin de contrôler ce qui sortirait dans les journaux. Il ne voulait pas se retrouver avec le même problème que la dernière fois, où la nouvelle locale avait finalement fait la une des journaux montréalais.

— Dès que nous serons en mesure de vous donner plus de renseignements, terminait-il maintenant, nous vous en aviserons. D'ici là, nous aimerions avoir votre coopération dans cette affaire en ne publiant rien qui puisse nuire à notre travail d'investigation. Notamment en ce qui concerne le centre de réinsertion et ses pensionnaires.

Les journalistes avaient acquiescé en bougonnant, mais Trudel était sûr qu'ils obtempéreraient. Il leur avait promis l'exclusivité de l'affaire.

Maintenant rassemblés autour de la table de la salle de réunion, les membres de l'équipe faisaient à leur tour le point sur l'enquête. À commencer par Labonté et Jolicœur, qui en avaient long à raconter sur Rick Éthier.

— Le gars a passé les quinze dernières années de sa vie au Thirsty Cowboy, avait entrepris Labonté. Les habitués, les barmen... ils le connaissaient tous. Du moins ceux de l'après-midi. Car Rick Éthier était généralement trop soûl pour y rester après dix-huit heures.

Voilà pourquoi je ne l'ai jamais vu, avait songé Kate.

— Vous connaissez le genre, avait poursuivi Jolicœur. Il rendait l'univers responsable de ses malheurs. Il radotait continuellement sur les mêmes sujets. Son manque de chance, son héritage qu'on lui avait volé...

— Son héritage ? avait répété Kate.

— On a eu une réaction identique, avait dit Labonté. Alors on a investigué plus loin. Il paraît que son père avait un terrain, plusieurs acres même, dans la Bolton Pass et...

— La Bolton Pass, avait répété Kate maintenant en alerte.

Labonté avait souri.

— Exact. Et l'homme l'aurait vendu, il y a plusieurs années, pour une poignée de *peanuts*...

— Au Dr Claude Thérien, avait terminé Jolicœur.

Labonté et lui s'étaient regardés, fiers de leur découverte.

— Ça doit valoir une petite fortune aujourd'hui, avait commenté Trudel.

— Le père de Rick est mort moins de deux mois après avoir vendu le terrain au docteur, avait poursuivi Jolicœur. Un terrain dont aurait hérité Rick, puisqu'il était enfant unique.

— Eh bien! Il semble qu'on tient notre mobile, avait dit Kate. La vengeance pure et simple. Tu m'as volé mon héritage, je te vole ta vie. Et je suppose que c'est sur le terrain en question que le crime a été commis ?

— Exactement, avait confirmé Labonté.

Ils étaient tous restés silencieux pendant un moment, se rejouant la séquence des événements.

218

— Très bien, avait repris Kate. Maintenant… Qui avait des raisons de tuer Rick Éthier ?

— Là, on est dans un cul-de-sac, avait répondu Labonté. L'homme est une loque. Il ne s'est jamais marié, pas d'enfants, plus de famille, pas d'argent à laisser en héritage, pas de travail donc pas de jalousie professionnelle… En fait, il n'a rien qui pourrait faire envie à qui que ce soit.

— Et dans sa jeunesse ? avait demandé Kate, songeant à cette idée qui la taraudait du « passé qui surgit dans le présent ». Il a peut-être dit ou fait des choses qui seraient revenues le hanter ?

Labonté et Jolicœur s'étaient consultés du regard.

— Franchement, avait avoué Jolicœur, si l'on se fie à ce qu'on a entendu sur lui, Rick Éthier a toujours été la risée du village. Un être pas très brillant avec un ego largement plus grand que ses capacités. Ce qui le rendait totalement ridicule aux yeux de tous. Il aurait plutôt été une victime…

Kate avait eu un geste d'agacement.

— Kate ? l'avait interrogée Trudel. Vide ton sac…

Kate avait levé les yeux dans sa direction. Crois-moi, tu ne veux pas que je vide mon sac, avait-elle songé avec sarcasme avant de répondre à la question.

— Je ne sais pas. Une impression. Si Rick Éthier était tellement… non fonctionnel, comment a-t-il fait pour organiser le meurtre du Dr Thérien ?

— Ce n'était pas si complexe, avait dit Labonté. Un message texte, un coup de carabine, des pentacles…

— Juste l'idée des pentacles…, avait insisté Kate.

— *You don't watch a lot of tv*, avait commenté Todd. Il y a plein d'émissions pour les jeunes aujourd'hui qui traitent de sorcellerie, de démonologie… Quasiment tout le monde sait que le pentacle est associé aux rituels sataniques. Éthier a dû prendre l'idée dans une de ces émissions…

Kate n'avait pas l'air convaincue.

— Tu as raison, mais… comment dire… ce qui me chicote, c'est le fait qu'Éthier a été… proactif.

Ils l'avaient tous regardée.

— Je veux dire… Je l'imagine mal… même avoir l'idée de se venger. C'est un gars qui se plaint. Ce n'est pas un gars qui agit.

Après quelques secondes de silence, Labonté s'était soudain redressé sur sa chaise.

— Jolicœur? avait-il demandé. Qu'est-ce que le vieux soûlard, Willie, nous a dit au bar, juste avant qu'on parte? Tu te rappelles? Il était mort de rire…

Jolicœur avait pris un moment à se rappeler la scène, puis son visage s'était éclairé.

— Oui, oui, ça me revient… Il disait en riant: «La semaine passée, Dickie a même encore essayé de nous faire croire qu'il avait une petite mère qui prenait soin de lui…» Il parlait de Rick Éthier, avait-il précisé à ses collègues.

— Une petite mère…, avait répété Trudel.

— Vous croyez que ce soit possible? avait demandé Kate aux sergents Labonté et Jolicœur. Il aurait pu avoir une petite amie?

Les deux hommes avaient haussé les épaules.

— Je ne vois pas qui aurait voulu d'un déchet pareil, avait dit Jolicœur, mais… *Hey!* Chaque torchon trouve sa guenille, comme répétait ma mère.

Kate s'était levée et avait déambulé dans la pièce, réfléchissant à ce qu'elle venait d'entendre. Puis, machinalement, elle avait consulté Trudel du regard.

— On en reviendrait à quoi… la théorie du complice? avait-il demandé.

— *Shit!* s'était exclamée Kate. On tourne en rond comme des bourriques. Il y a sûrement quelqu'un de plus intelligent que nous dans cette affaire… Et ce n'est pas Rick Éthier, avait-elle conclu, avant de quitter la salle, exaspérée.

52

Kate partie, Trudel avait demandé au trio d'enquêteurs encore présents de fouiller la question de la petite amie, puis il était sorti à la recherche de Kate. Il l'avait trouvée sur le bord du Fuller's Pond, derrière le poste.

— Il faut qu'on se parle, avait-il dit sans préambule.

Kate l'avait ignoré et avait cherché à s'éloigner sur le sentier qui contournait l'étang, mais Trudel avait fait quelques pas et l'avait rattrapée en l'agrippant par le bras.

— Kate...

Elle s'était arrêtée. Puis s'était retournée et l'avait fixé droit dans les yeux. Trudel avait soutenu son regard.

— Je sais que tu as cru que je me servais de Sylvio pour t'annoncer la grossesse de Julie... mais ce n'était pas le cas. Du moins, je ne l'ai pas fait volontairement.

Kate n'avait pas répliqué.

— Je me rends compte maintenant, avait poursuivi Paul, que le téléphone à Sylvio... toute cette histoire sur le fait que tu avais besoin d'un ami, pas d'un supérieur... C'était injuste de ma part.

Kate ne disait toujours rien.

— J'ai... je n'ai pas d'excuse, Kate. J'étais troublé. Cette grossesse qui me tombait dessus, la nuit passée avec toi...

— Tu le savais, l'avait interrompu Kate, pour le bébé… quand nous avons passé la nuit ensemble ?

Paul avait baissé les yeux.

— Ah…

Puis, ils étaient restés silencieux ; Paul absorbant sa culpabilité, Kate comprenant enfin ce qu'elle avait lu dans son regard ce soir-là.

— J'avais besoin de savoir… ce qui restait entre nous.

— Et tu as eu ta réponse ? avait demandé Kate froidement.

Trudel avait soupiré, misérable.

— Je… je ne sais pas. Je ne parviens pas à oublier le passé…

Encore cette idée, avait pensé Kate au beau milieu des aveux de Trudel.

— Ce qu'il y avait entre nous…

— Le passé qui surgit dans le présent…, avait murmuré Kate sans s'en rendre compte.

— Quoi ? avait demandé Paul, surpris.

Kate l'avait regardé étrangement, songeant que Marquise Létourneau avait peut-être raison. Peut-être était-elle plus près du but qu'elle ne le croyait.

— Paul…, avait commencé Kate. Cette nuit, quand nous étions ensemble, c'était le passé qui surgissait dans le présent.

— Qu'est-ce qui détermine ce qui est encore présent ou ce qui est…

— Et le passé a déjà eu trop d'emprise dans ma vie, avait soudain ajouté Kate, aussi surprise que Paul par sa déclaration.

Ils étaient restés figés un moment.

— Kate…

— Non. Je ne veux plus. Je veux vivre au présent, avait-elle dit avec un pâle sourire. J'ai besoin de m'attacher au présent.

Paul avait voulu ouvrir la bouche, mais Kate avait mis un doigt sur les lèvres de l'homme.

— Je sais. Tu m'as aimée. Et je ne l'oublierai jamais, avait-elle ajouté avec une extrême douceur, retirant son doigt de ses lèvres, les effleurant une dernière fois au passage.

Ils étaient restés debout, l'un en face de l'autre, les yeux dans les yeux, pendant un long moment. Puis Kate s'était détournée.

— Merci, avait-elle dit en s'éloignant, sans lui jeter un dernier regard.

Paul aurait voulu courir la rattraper, mais il avait résisté. Kate avait besoin qu'il résiste. Et il lui fallait, lui aussi, apprendre à vivre dans le présent.

Julie et l'enfant à venir l'attendaient à la maison.

Et ils avaient besoin de son amour. De tout son amour.

53

Kate avait été ébranlée par son échange avec Trudel, mais elle s'était quand même sentie étrangement en paix avec sa conclusion. Comme si elle venait de déchiffrer le dernier indice qui lui permettait de résoudre l'énigme de sa personne...

Elle avait souri en s'apercevant qu'elle aurait eu envie de partager sa découverte avec Marquise Létourneau. Mais la conversation devrait attendre. Elle avait des choses plus urgentes à faire.

— Je voudrais voir le Dr Pelland, avait dit Kate à la réceptionniste, aussitôt arrivée au centre.

Cette dernière avait levé la tête du document qu'elle entrait dans l'ordinateur et avait répondu que la directrice était occupée et qu'il lui faudrait patienter un moment. Désirait-elle prendre un rendez-vous ?

— Annoncez-moi, je m'occupe du reste, avait rétorqué Kate en se dirigeant sans gêne vers le bureau du docteur.

— Merci, disait la psychiatre à la réceptionniste comme Kate pénétrait dans le bureau. La voilà justement.

Elle avait raccroché.

— Que puis-je faire pour vous ? avait-elle demandé à Kate, sans lui offrir de siège.

— Je suis désolée, mais ça ne pouvait pas attendre, avait-elle répondu. Connaissiez-vous Rick Éthier? avait-elle demandé sans préambule, comptant sur l'effet de surprise.

— Rick Éthier? Non, qui est-ce?

La psychiatre avait paru sincèrement étonnée.

— L'homme qui a été retrouvé une hache dans le dos.

— Ah... lui. Non. Désolée.

Décidément, les tactiques de Kate ne donnaient aucun résultat. Si le Dr Pelland était la complice de Rick Éthier, elle le cachait bien.

— Vous n'avez jamais entendu parler de lui? avait renchéri Kate.

— Franchement, non. Je devrais?

— Non, non..., avait presque murmuré Kate.

Elle venait de comprendre pourquoi Élisabeth disait que ce n'était pas le genre de la psychiatre de se rendre sur le bord de la rivière avec son amoureux... Sur le bureau du docteur, un cadre avait été ajouté depuis la dernière visite de Kate. Diane Pelland y était photographiée en compagnie d'une femme. Visiblement, à leur regard amoureux, sa compagne de vie.

— Ah non! s'était exclamée Pelland.

— Pardon?

— Je ne m'adressais pas à vous... Je regardais par la fenêtre et j'ai vu Mary dans le jardin... Elle est encore en train de harceler le pauvre Arthur.

— Un autre accès de culpabilité, j'imagine, avait dit Kate, que Mary commençait également à énerver.

Puis, elle s'était sentie coupable à son tour et avait dit:

— J'imagine que si nous avions ses problèmes...

— Quels problèmes? l'avait interrompue Pelland.

— Ses problèmes de dépression...

La psychiatre avait froncé les sourcils.

— Vous ne le saviez pas ? C'était une patiente du Dr Thérien, avait renchéri Kate.

Diane Pelland avait eu l'air surpris.

— Je n'en avais aucune idée…, avait-elle dit, songeuse. Mais d'un autre côté, le Dr Thérien ne discutait pas systématiquement de ses patients avec moi. Seulement de ceux faisant partie du protocole de recherche. Et je peux vous assurer que Mary n'en faisait pas partie. Dieu merci ! avait-elle ajouté pour elle-même, avant de s'adresser à nouveau à Kate. Vous aviez d'autres questions ?

— Non… merci.

Puis Kate avait quitté le centre.

Mary a-t-elle menti ? s'était-elle demandé en faisant démarrer sa voiture. Mais elle n'avait pas eu le temps de réfléchir à la question qu'une autre surgissait dans son esprit. Cette histoire autour de Mary n'était-elle qu'une diversion du Dr Pelland ?

54

Elle ne voulait pas céder à la panique, mais la chose devenait de plus en plus difficile. Les enquêteurs n'avaient pas mordu à l'hameçon et ils avaient relâché Arthur Thérien. Ils allaient donc pousser leur enquête plus loin et qui sait ce qu'ils allaient découvrir. Elle en faisait une obsession. Et elle n'arrêtait plus de se rejouer en boucle ses rencontres avec Rick Éthier.

Les premières, avant qu'il ne l'invite chez lui, s'étaient déroulées en public. Au hasard, avait faussement cru Éthier. Mais chacune d'elles avait été orchestrée. Elle les avait planifiées dans le moindre détail. Choisissant toujours des endroits bondés, limitant les échanges à quelques minutes tout au plus, les yeux baissés pour ne pas avoir l'air de soutenir une conversation… À ce souvenir, elle avait ri. À cause de cette supercherie, Éthier l'avait crue timide, voire soumise. Des qualités qui l'avaient aidée à le séduire…

Elle avait frémi.

L'horreur des nuits qu'elle avait dû partager avec lui la hantait encore. Elle avait cru avoir enterré avec son mari les obligations dégoûtantes auxquelles, en épouse soumise, elle s'était sentie obligée de s'astreindre. Mais Rick Éthier avait été plus difficile à manipuler qu'elle ne l'avait espéré et elle avait fini par se convaincre qu'après avoir connu les exigences de son mari, elle pouvait tout endurer. Elle avait été bien naïve. Rick Éthier n'avait d'autre impulsion dans la vie que ses impulsions sexuelles longtemps refoulées, parce qu'aucune femme ne voulait s'approcher de lui, et il s'en était donné à cœur joie avec elle. Cherchant à reproduire tous les fantasmes sordides qu'il avait conçus en visionnant des films pornos. Elle avait failli tout abandonner tant il la dégoûtait, mais la perspective de se retrouver face au néant, elle qui avait toujours vécu pour le jour où elle verrait son fils vengé, l'avait effrayée davantage que les assauts de Rick Éthier. Elle s'était donc soumise à ses perversités. Et plus elle s'y était soumise, plus Éthier avait rivalisé d'ingéniosité.

Elle avait dû s'arrêter près d'un arbre pour vomir.

Aujourd'hui, elle ne savait plus si l'enjeu en avait valu la peine. Elle n'arrivait même plus à comprendre comment cette idée de vengeance était née. Ni même pourquoi elle avait cru qu'il y avait un sens dans tout cela. Elle se sentait toujours aussi vide. La joie de la vengeance avait été brève et ne lui avait pas rendu son fils.

Sur le coup, elle avait presque hurlé. Elle se sentait coupable, confuse et impuissante. Tout ce qu'elle savait maintenant avec assurance, c'est que sa haine pour Claude Thérien n'était pas morte avec lui.

Un immense frisson l'avait parcourue.

Non seulement Claude Thérien avait volé la vie de son fils, mais il menaçait à présent de voler la sienne...

Si elle ne trouvait pas une nouvelle façon de détourner les soupçons.

55

De retour chez elle, Kate avait téléphoné à Sylvio, les invitant, lui et sa progéniture, à passer le week-end à son chalet. Sylvio avait décliné l'offre du week-end en famille, ses enfants ayant déjà une foule d'activités en vue, mais il avait accepté de descendre seul à son chalet pour le souper. Il n'allait pas refuser le calumet de paix qu'elle lui tendait.

— *Carissima...*, avait-il simplement dit en ouvrant les bras dès qu'il l'avait aperçue au pied de l'escalier.

Kate s'y était réfugiée et ils étaient restés collés l'un contre l'autre.

— *Non litighiamo mai...*, avait finalement dit Kate.

Ne nous querellons plus jamais...

— Tu as appris ça pour moi ? avait demandé Sylvio, ému.

— *Si... solo per te*, avait-elle dit en souriant.

Puis elle l'avait entraîné au bord du lac voir le soleil couchant.

Assis au bout du quai, les pieds dans l'eau, ils avaient discuté de tout et de rien en regardant le lac faire ses va-et-vient incessants sous le soleil déclinant.

— Alors, cette affaire de pentacles ? demandait maintenant Sylvio. Ça avance ?

— C'est comme le lac, avait dit Kate. Chaque fois qu'on avance, on recule. Tout ce qu'on peut dire avec certitude pour l'instant, c'est que la première victime a été tuée par la seconde. C'est à peu près tout. Le reste n'est que spéculations.

— Tu as pourtant l'habitude de te fier à ton intuition…, avait dit Sylvio en la regardant.

— Oui. Eh bien… j'ai l'intuition rouillée par les temps qui courent.

— Il y a des chances que cela ait un rapport avec ça ? avait demandé Sylvio en pointant le doigt vers la marque encore visible sous son œil.

Kate avait jeté un des cailloux qu'elle tenait à la main à l'eau.

— Je n'ai pas bu depuis. Et j'ai évité les parkings, avait-elle ajouté dans un murmure.

Sylvio l'avait regardée, mais n'avait pas insisté. Il avait toujours su pour les frasques de Kate, mais ils n'en avaient jamais parlé. C'était quelque chose que Kate partageait avec Nico. Pas avec lui.

— Dommage que le rapport d'autopsie et les analyses du Labo n'aient rien apporté de plus pour la deuxième victime…

— Je m'en doutais, avait dit Kate. La pluie avait contaminé la scène. Et personne ne croyait trouver d'empreintes sur la hache. Le contraire aurait été trop beau pour être vrai…

— Tu dois quand même avoir une idée, l'avait poussée Sylvio.

— Mon problème, c'est que je n'arrive pas à croire que Rick Éthier a tué le docteur.

— Mais vous avez des indices l'incriminant, non ?

— Oui, mais…, avait répondu Kate, exaspérée. En tout cas… Il ne serait jamais arrivé seul à cette idée. J'en suis certaine. Et la mise en scène des pentacles… ils ont beau me dire que ça ne prend pas la tête à Papineau… je ne crois pas qu'il ait pu en avoir l'idée.

— Tu crois alors qu'il avait un complice, avait conclu Sylvio.

— J'en suis presque sûre. Un être intelligent et manipulateur qui l'aurait poussé à tuer le docteur et qui se serait débarrassé de lui par la suite.

— Tu sais qui c'est ?

— Non seulement je ne sais pas qui c'est… mais je n'ai pas la moindre preuve de son existence. Et je connais encore moins son mobile…

— Aussi bien dire que tu es dans le brouillard, avait conclu Sylvio en riant.

— Totalement, avait ajouté Kate, riant à son tour.

Puis, ils avaient regardé disparaître les derniers rayons de soleil en silence. Chacun réconforté par la présence de l'autre.

56

Trop fatigué pour prendre la route ce soir-là, Sylvio avait couché chez Kate, sur le divan du salon. Ils avaient alors eu le loisir de passer la matinée du dimanche à se remémorer les bons coups de Nicoletta. Ce voyage au pays des souvenirs leur avait fait le plus grand bien à tous les deux, car Nico, même absente, avait comme autrefois su «normaliser» leur vie.

Après le départ de Sylvio, Kate s'était encore servi un café, avait ajouté une bûche dans son petit poêle et, confortablement installée dans son fauteuil préféré, sa chatte Millie lovée sur ses cuisses, avait réfléchi à sa théorie du complice.

Plus elle réfléchissait à la personnalité d'Éthier, plus elle était convaincue d'une chose. Si quelqu'un avait réussi à l'influencer, c'était une femme. Et il n'y avait pas que l'histoire de la «petite mère» qui lui donnait cette impression. Rick avait été entouré de testostérone toute sa vie, et il ne s'était jamais senti l'obligation de relever le moindre défi, de défendre quoi que ce soit. Et il n'était pas le genre à tuer pour l'amour d'un homme. Cependant pour l'amour d'une femme...

D'accord, s'était dit Kate. Si cette femme existe, comment est-elle ? Très intelligente, s'était-elle aussitôt répondu. Intelligente… et grande manipulatrice. Elle aura pris le temps d'étudier Rick Éthier… et elle l'aura choisi parce qu'il avait un mobile. Et parce qu'elle pourrait l'influencer…

Kate se remémorait maintenant, une à une, les informations rapportées par Labonté et Jolicœur. Rick la victime, Rick le vétéran du BS, Rick l'homme à la «petite mère»… Cette femme devait avoir joué un sacré scénario à Rick Éthier pour qu'il aille jusqu'à se vanter d'avoir une petite mère pour s'occuper de lui… Elle aurait donc été capable de prétendre être la petite amie, peut-être même l'amante de Rick Éthier, avait songé Kate presque avec admiration, pour arriver à ses fins ? Il fallait qu'elle soit vraiment déterminée…, avait conclu Kate. Qu'elle souhaite ardemment la mort du Dr Claude Thérien…

Les paroles de Todd lui étaient aussitôt revenues en mémoire. «*Up close and personnal…*» Oui, Todd avait raison. Cette femme en voulait férocement à Claude Thérien. Le crime avait été très personnel. Intime… même.

Mais qui est donc cette mystérieuse complice ? s'était enragée Kate. Et quel lien entretenait-elle avec Claude Thérien ? Ils avaient pourtant épluché la vie de Thérien. À part ses collègues de travail, aucune femme ne semblait faire partie ou avoir fait partie de sa vie.

Kate avait regardé dehors. Le temps était maussade, mais il ne faisait pas froid. Elle avait caressé sa chatte puis l'avait déposée par terre. Millie avait commencé par émettre quelques objections, mais s'était vite laissé séduire par le bol de croquettes qu'elle lui avait servi.

Puis, après s'être assurée que toutes ses fenêtres étaient closes, Kate avait quitté son chalet et pris la route de Serenity Gardens. Elle allait avoir une petite conversation avec Arthur Thérien.

Elle l'avait trouvé sur un banc, à l'orée du bois. Son visage était calme, mais ses yeux exprimaient toujours le même inconsolable chagrin.

— Bonjour, Arthur, avait-elle dit en s'approchant du banc.

L'homme lui avait souri tristement avant de la saluer.

— Bonjour, lieutenant...

Il semblait ne plus se souvenir de son nom.

— Vous pouvez m'appeler Kate... ou Kat, comme dit Élisabeth, avait-elle tenté pour l'amadouer.

Il avait hoché la tête, sans rien ajouter.

— Vos traitements vous font-ils du bien ? avait demandé Kate. Vous vous sentez mieux ?

— Les médicaments font effet, avait répondu Arthur, prosaïque.

Comment pourrait-il aller bien quand son fils a été tué ? avait songé Kate avec sarcasme.

— J'ai... je voudrais que vous me parliez... de votre... de Claude.

Les yeux de l'homme étaient passés du bleu pâle au gris acier. Elle avait littéralement vu la douleur les traverser.

— Si vous vous en sentez capable, avait-elle aussitôt ajouté, doutant maintenant de l'intelligence de son idée.

Arthur l'avait fixée et lui avait demandé :

— Pourquoi me posez-vous cette question ?

Kate avait hésité avant de répondre. Aux yeux de ses collègues, Arthur Thérien demeurait un suspect possible dans le meurtre de Rick Éthier. Cependant, elle avait finalement décidé de jouer franc-jeu avec lui et lui avait expliqué sa théorie de la présence d'une complice.

— À part sa mère, ses patientes et ses collègues de travail, je n'ai jamais vu d'autres femmes autour de lui. Je... je crois qu'il n'aimait pas les femmes, avait-il fini par avouer.

237

Pauvre homme…, avait songé Kate. Il avait probablement rejeté l'homosexualité de son fils du vivant de celui-ci. Et maintenant…

— Vous n'étiez donc pas très…, Kate avait hésité, au courant de sa vie privée ?

Arthur avait hoché la tête. Misérable.

— Ce n'est pas important, avait dit Kate, pleine d'empathie pour cet homme qui souffrait.

— Claude, avait ajouté Arthur Thérien après s'être perdu dans ses réflexions, il… il ne croyait pas au recours à la violence. Il croyait qu'on pouvait venir à bout de tous les conflits par le dialogue…

Voilà pourquoi Claude Thérien n'avait pas tenté de fuir son agresseur, avait alors compris Kate. Il n'avait pas cru que l'homme utiliserait son arme contre lui. Il avait cru pouvoir le raisonner.

— C'était un homme bien, mon fils, avait affirmé Arthur, avant de se lever du banc. J'aurais dû lui dire…, avait-il terminé une fois debout en regardant Kate dans les yeux. J'aurais dû…

Puis, il était parti en direction du centre. Le dos voûté, le pas mal assuré.

Kate avait soupiré. Cette affaire aura fait plus que deux morts, avait-elle songé en regardant le vieil homme s'éloigner.

57

Élisabeth revenait de la rivière lorsqu'elle avait vu Kate sur le banc à l'orée du bois.

— Salut, Kat ! avait-elle dit en s'asseyant à côté d'elle.

Bien sûr, Kate avait sursauté. Comme toujours. Ce qui avait fait rire la jeune fille.

— Tu aimes surprendre les gens, avait dit Kate. Ça t'amuse…

Élisabeth avait haussé les épaules. Kate l'avait observée un moment.

— Je ne crois pas que ta mère aimerait apprendre que tu étais dans le bois encore une fois…

— Non, mais ce n'est pas toi qui vas le lui dire, avait répondu Élisabeth, absorbée à faire des dessins dans la terre avec le bout de ses souliers. Tu as vu comme ça l'énerve…

Kate se souvenait très bien de la scène au pied des marches du centre. Elle était cependant surprise de constater qu'Élisabeth s'en souvenait aussi.

— J'ai vu, avait dit Kate, qui rattrapa de justesse le commentaire qu'elle allait faire.

Élisabeth avait délaissé les dessins à ses pieds pour la regarder.

— J'ai déjà eu un frère, avait-elle lancé à brûle-pourpoint.

Kate avait été surprise de la déclaration.

— Déjà eu ?

— Oui... Avant que je naisse. Avant que maman sache que j'étais dans son ventre... Il s'est noyé.

— Oh...

— Tu comprends maintenant... pourquoi elle n'aime pas que je me promène dans le bois. Elle a peur de la rivière.

— Il s'est noyé, ici ? Dans cette rivière ? avait demandé Kate, étonnée de la coïncidence.

Élisabeth avait hoché la tête.

Kate s'était laissée choir contre le dossier, pensive.

— Ton frère... il était jeune ?

— Pas trop. Il n'habitait plus à la maison, avait ajouté Élisabeth en se concentrant à nouveau sur les œuvres d'art à ses pieds.

Kate avait pris un moment à comprendre la différence d'âge entre les deux enfants, puis, en se repassant mentalement l'image de la mère d'Élisabeth, elle avait saisi. La femme paraissait avoir la soixantaine, Élisabeth avait vraisemblablement été un « accident » de ménopause.

— Je n'ai jamais vu ton père..., avait dit Kate.

— Il est mort aussi, avait dit Élisabeth avant qu'elle n'ait le temps de terminer sa question. Un... et elle avait épelé le mot « cancer ».

— Je suis désolée...

La jeune fille l'avait regardée.

— Pourquoi ? Il ne souffre plus. C'est mieux, non ?

— Oui, bien sûr, avait répondu Kate, désarçonnée.

Elles étaient restées assises un long moment en silence. Kate perdue dans ses pensées, Élisabeth continuant de dessiner dans la terre.

Kate n'aimait certes pas Madeleine Collard, mais elle pouvait imaginer son drame. La pauvre femme, qui venait de perdre un fils, avait appris dans le même temps qu'elle était enceinte... contre toute attente. Et tout désir, probablement. Comment aurais-je réagi ? s'était demandé Kate. L'aurai-je gardé ?

De toute évidence, Madeleine Collard avait choisi de ne pas subir d'avortement. Peut-être avait-elle cru que c'était un signe de la vie, qu'on lui rendait son enfant..., avait imaginé Kate. La belle affaire ! Madeleine Collard avait accouché d'un enfant qui n'avait jamais su remplacer son fils. Et Élisabeth n'avait finalement été qu'un accident de trop dans sa vie.

— Ici, avait soudain dit Élisabeth, c'était à mon grand-père avant.

Et elle avait fait un geste englobant la propriété.

Claude Thérien avait donc acheté cette terre des mains du père de Madeleine Collard ? avait été surprise d'apprendre Kate. Il avait acheté ce qui aurait pu être l'héritage de Madeleine... Le parallèle avec la situation d'Éthier était trop tentant pour ne pas le faire. Ils étaient tous les deux des dépossédés. Et ils partageaient maintenant un mobile...

D'un autre côté, la région était pleine de petites gens qui avaient été dépouillés de leur héritage. Il y avait quelques années, les spéculateurs avaient été nombreux à prédire la montée fulgurante des prix des terrains dans les Cantons-de-l'Est. Ils ne s'étaient pas gênés pour acheter tout ce qui leur tombait sous la main, offrant un peu plus que le marché de l'époque, mais bien en dessous de ce qu'il allait devenir. Alors si chaque enfant frustré avait décidé de se venger... Ils auraient eu beaucoup de morts sur les bras. Non. Il fallait une personnalité particulière pour engendrer une telle idée de vengeance. Et Madeleine Collard...

— Oh ! avait soudain dit Élisabeth. Je vais être en retard pour le souper...

Puis elle s'était levée et était partie en courant en direction du centre.

— *Bye*, Kat ! avait-elle crié en s'éloignant.

Kate lui avait envoyé la main, puis avait décidé qu'il était aussi temps pour elle de rentrer.

En se relevant du banc, Kate avait posé les yeux par terre. Elle s'était arrêtée net. Pendant quelques secondes fugitives, parmi les dessins à moitié effacés d'Élisabeth, elle avait cru reconnaître un pentacle...

Idiote, avait-elle aussitôt compris, ce n'est qu'une étoile. La petite a dessiné une étoile. Comme le font des milliers d'enfants.

58

De retour à son chalet, Kate avait voulu, comme tant d'autres fois par le passé, donner un coup de fil à Paul Trudel pour l'entretenir de sa découverte. La théorie des dépossédés, quand elle y réfléchissait bien, était selon elle la plus solide jusqu'à maintenant. Elle voulait partager son enthousiasme avec Paul.

Elle n'avait pas songé aux répercussions de son appel.

— Julie ? avait dit kate, surprise, quand la jeune femme avait répondu au cellulaire de Paul.

La conversation avait pris une tournure inattendue. De toute évidence, Paul n'avait pas rapporté à la relationniste sa discussion avec Kate. Alors Julie ne s'était pas gênée pour dire à Kate qu'elle n'appréciait pas qu'elle « poursuive » Paul jusqu'à la maison. Prise de court, Kate s'était excusée et avait raccroché. Mais maintenant qu'elle y repensait, elle était furieuse. Et la tentation de noyer son « innocence » dans la bière était très forte.

Elle avait donc juré en entendant son cellulaire carillonner comme elle mettait la main sur la poignée du réfrigérateur.

— McDougall, avait-elle jappé en répondant sans regarder l'afficheur, occupée à ouvrir le frigo pour y trouver une bière.

— Kate…

Elle était restée la main figée sur une bouteille.

— *Who gave you this number ?* avait-elle demandé vivement, retirant sa main du même coup.

Elle pouvait entendre son cœur battre dans sa poitrine.

— Je t'ai posé une question, Lucky Luke ! avait-elle dit avec autorité. Qui t'a donné ce numéro ?

L'homme, au bout du fil, avait ri.

— Tu étais plus *friendly* dans le parking…

Kate s'était sentie instantanément nue.

— J'avais envie d'avoir un peu de *fun*…

Kate avait de la difficulté à respirer. Sa main tremblait et elle avait failli laisser échapper l'appareil.

— Tu joues avec le feu, était-elle parvenue à articuler. Si tu sais ce qui est bon pour toi, tu ne rappelleras jamais plus ce numéro. Compris, *amigo* ?

— *You sound like a cop*, avait dit l'homme en riant.

— *I am a cop !* avait presque crié Kate.

Et soudain, il n'y avait plus eu de signal au bout du fil.

Kate était restée appuyée contre la porte du frigo pendant un très long moment. Tremblant comme une feuille. Violée dans son intimité. Puis, dans une rage froide, elle avait fouillé le chalet et vidé dans l'évier toutes les bouteilles qu'elle avait trouvées. Une fois cela accompli, elle s'était effondrée en pleurs.

Paul avait fini par la rappeler, tard dans la soirée, alors qu'elle avait finalement réussi à s'assoupir sur le divan du salon.

— Excuse-moi, avait-il dit en entendant sa voix ensommeillée. Je sais qu'il est tard, mais je n'ai pas pu te rappeler plus tôt.

— Ton chien de garde est couché, avait dit Kate sur la défensive.

244

— Julie est désolée…

Julie est désolée, s'était moquée Kate mentalement.

— Tu comprends… Elle n'est pas dans son état normal. Une histoire d'hormones… Avec le bébé et tout.

Il mentait, par-dessus le marché. Ils avaient sûrement eu une altercation à ce propos. Voilà pourquoi il la rappelait à cette heure… et en cachette.

Kate avait envie de lui raccrocher au nez.

— Ça ne pourra pas fonctionner… toi, moi et le travail, avait dit Kate. Si tu ne joues pas franc-jeu avec elle.

— Je sais, avait avoué Paul au bout d'un moment. Ça ne se reproduira plus.

Kate n'avait rien dit, laissant le silence s'éterniser.

— Qu'est-ce que tu voulais ? avait enchaîné Paul devant son mutisme.

— Ça peut attendre… Tu seras au poste demain matin ?

— Je ne pensais pas y aller…

— Change d'idée.

Et elle avait raccroché.

— *Fuck him ! Fuck them all !* avait-elle conclu en ouvrant la porte du chalet et en envoyant valser son cellulaire dans la nature.

Puis elle s'était ravisée et était partie à la recherche de l'appareil. Accroupie près d'un bosquet au beau milieu de la nuit, pieds nus dans la boue, grelottant de froid dans ses vêtements, elle avait éclaté de rire.

Les hommes ne sont pas les seuls à me traîner dans la boue, avait-elle pensé. Les cellulaires aussi !

59

La première chose qu'elle avait faite en entrant au poste de Brome-Perkins le lendemain matin avait été de faire changer son numéro de cellulaire. À l'administration, on lui avait dit qu'il lui faudrait patienter pour en obtenir un nouveau, mais Kate s'en foutait.

— Faites désactiver ce numéro immédiatement, avait-elle ordonné.

La commis n'avait pas posé de questions et avait obtempéré.

La chose accomplie, Kate avait mieux respiré. Par la réaction qu'il avait eue à la mention de son métier, elle savait que Lucky Luke ne la rappellerait pas. Mais il avait eu son numéro. Et c'était déjà trop. Elle n'apprendrait probablement jamais comment il l'avait obtenu, mais l'important était qu'il ne l'ait plus.

Après avoir vérifié l'heure, Kate s'était ensuite installée dans la salle d'informatique et avait sorti son carnet. Elle voulait y consigner les informations recueillies la veille. L'acquisition par Claude Thérien d'un terrain ayant appartenu au père de Madeleine Collard, la noyade du fils Collard, le fait qu'Élisabeth était un accident de ménopause…

L'exercice terminé, elle avait tapé le nom « Madeleine Collard » dans le moteur de recherche. C'était chercher loin, elle le savait, mais elle ne pouvait s'empêcher de penser que, à part l'histoire du terrain, il y avait peut-être un lien entre la mort du fils Collard et le Dr Thérien, car, il lui fallait l'avouer, les thèmes de la «vengeance de la mort d'un fils» et du «passé qui surgit dans le présent» l'obsédaient. Ils étaient omniprésents à travers toute l'enquête. Aussi bien vérifier.

Les résultats de ses recherches avaient été décevants.

Kate n'avait trouvé qu'un article de journal relatant brièvement l'accident de Luc Collard. Le garçon s'était apparemment fracturé la nuque en plongeant dans la rivière. Un accident bête. À première vue, rien à voir avec le Dr Thérien.

Kate avait vérifié l'heure. Son équipe l'attendait sûrement dans la salle de réunion. Elle devrait donc remettre à plus tard ses recherches. En refermant son carnet, elle avait été surprise de voir Todd surgir dans la salle.

— *There you are!*

Kate avait éclaté de rire. À voir la mine de Todd, il avait sûrement, encore une fois, couché dans une cellule.

— Tu n'as pas encore trouvé d'appartement à ce que je vois, avait-elle dit en riant.

— Et tu devrais être contente…

— Pardon?

— Je n'arrivais pas à dormir cette nuit. Alors je me suis mis à fouiller parmi mes notes sur l'affaire et…

Todd s'était approché de l'ordinateur et avait tapé le nom de Patrick Parsons. Le garçon du codicille.

— Parsons? l'avait interrogé Kate.

— Tu vas voir…

Comme Kate s'y attendait, sa nécrologie était apparue en premier dans les résultats de recherche. Todd avait aussitôt cliqué sur le lien indiqué.

— *Shit!* s'était exclamée Kate, surprise, en lisant l'avis de décès.

248

— Ce n'est pas tout…

Todd était ensuite revenu aux résultats de recherche et avait cliqué sur le lien suivant. Un article décrivant les circonstances de la mort de Patrick Parsons était apparu à l'écran.

Sa lecture terminée, Kate s'était laissée choir contre le dossier de sa chaise.

— Il y a des anguilles sous toutes les roches dans cette enquête, avait-elle simplement dit.

Puis elle avait frissonné.

60

— Mary Pettigrew ? s'était exclamé Jolicœur le premier en lisant une des copies des recherches que Todd leur avait distribuées.

— Patrick Parsons était le fils de Mary Pettigrew ! avait déclaré Labonté quelques instants plus tard.

Todd souriait.

— Et ce n'est pas tout…

Il leur avait alors distribué d'autres feuilles. Trudel avait jeté un regard dans sa direction avant d'en commencer la lecture.

— Patrick Parsons est mort dans l'accident de voiture qui a émasculé le Dr Claude Thérien, avait-il résumé après un moment, incertain des incidences d'une telle information.

— Jésus-Christ ! Est-ce que vous pensez à la même chose que moi ? avait demandé Jolicœur.

— Il n'y a pas que l'alcool au volant qui est dangereux, avait dit Todd. Le sexe aussi…

Kate n'avait pas prononcé un mot depuis son entrée dans la salle de réunion. Elle essayait de concilier ce qu'elle avait lu avec ce qu'elle ressentait.

Bien sûr, la fellation n'était pas très recommandable au volant d'une voiture, mais Kate se savait mal placée pour juger. Et elle savait aussi que plusieurs couples la pratiquaient dans leur véhicule. Hétérosexuels et homosexuels confondus. Ses années de patrouille lui avaient démontré la chose à moult reprises. Cependant, si elle songeait à Mary Pettigrew… à sa réaction en apprenant que son fils venait de mourir dans un accident de voiture en prodiguant une fellation à un homme de quinze ans son aîné…

— De là à se dire que Claude Thérien était responsable de la mort de son fils, avait murmuré Todd dont la pensée suivait le même cours que celle de Kate, il n'y avait qu'un pas.

À part Trudel, qui restait sur son quant-à-soi, ils s'étaient tous regardés. Mary Pettigrew avait un puissant mobile. Pouvait-elle être cette complice qu'ils avaient imaginée ?

— Parce qu'elle travaille au centre, Mary Pettigrew connaît très bien les habitudes des Thérien, argumentait maintenant Todd. Elle avait la possibilité de s'emparer du cellulaire d'Arthur et elle était au courant pour les messages textes entre le père et le fils. De plus, elle savait que le terrain de la Bolton Pass appartenait au docteur. Elle nous l'a dit quand elle nous a renseignés sur les promenades d'Arthur.

— Son côté religieux n'est pas à négliger non plus, avait réfléchi Labonté à voix haute. Qui parle de Dieu parle du diable. Inévitablement. Elle aurait pu imaginer l'histoire des pentacles. Et elle pouvait être au courant du délire paranoïde d'Arthur…

Kate se souvenait d'une conversation avec Élisabeth au cours de laquelle elle lui avait raconté que sa mère n'aimait pas Mary. Qu'elle la trouvait hypocrite… Y avait-il une vérité là-dessous ?

— Paul…, avait demandé Kate. Qu'est-ce que tu en penses ?

Trudel ne voulait pas y penser. Il aurait de beaucoup préféré croire qu'Éthier était mort des mains assassines d'un père vengeur. Trop de temps et trop d'argent avaient déjà été dépensés sur cette enquête. Et son évaluation devrait nécessairement le refléter…

— Avons-nous les preuves d'un lien entre Mary Pettigrew et Rick Éthier ? avait demandé Trudel, imperturbable.

— Non, justement, avait dit Kate. Et honnêtement, je l'imagine mal…

Trudel réfléchissait, pesant le pour et le contre, cherchant une réponse dans le carrelage à ses pieds.

— Patrick Parsons est mort il y a près de dix ans, avait-il dit après un moment. Il aurait fallu que cette femme entretienne sa vengeance pendant toutes ces années…

— Le temps de trouver Rick Éthier, avait précisé Jolicœur, qui désespérait de boucler cette enquête.

L'inspecteur avait marché de long en large. Que pouvait-il dire ou faire ? Il n'allait pas faire incarcérer le pauvre Arthur Thérien pour un crime dont il avait de la peine à le croire coupable. Et avec cette nouvelle piste, il ne pouvait plus en toute honnêteté ranger le dossier dans les cas non résolus…

— Je vous donne trente-six heures, avait-il lancé en regardant les membres de l'équipe, pour trouver un lien entre Pettigrew et Éthier.

Kate avait soupiré.

— Quoi ? avait demandé Paul sèchement.

— Rien. Je n'y crois pas, c'est tout.

Puis elle avait ajouté avec brusquerie :

— Je peux ?

Il y avait eu un flottement dans la salle, les membres de l'Escouade ne sachant trop s'ils assistaient à une réunion… ou à une thérapie de couple.

61

Même si Kate ne croyait pas vraiment à la culpabilité de Mary Pettigrew, elle avait malgré tout, la veille, été obligée de dresser un plan d'attaque. Il avait été convenu que les sergents Labonté, Jolicœur et Dawson poursuivraient leurs recherches sur la probabilité de la présence d'une « petite mère » dans la vie de Rick Éthier.

Après une matinée bien remplie, ils étaient maintenant installés au comptoir chez Bud's, où ils avaient décidé de se retrouver pour le lunch.

— Il n'y en a pas de meilleur, avait dit Jolicœur en enfournant un énorme hamburger dans sa bouche.

Labonté avait grimacé. Il ne partageait pas les préférences gastronomiques de Jolicœur. Pas que les hamburgers de Bud's ne soient pas bons. Ils avaient tout simplement le défaut d'être des hamburgers.

— Ta femme est en train de te rendre snob avec ses sushis, avait dit Jolicœur, à qui la grimace de Labonté n'avait pas échappé.

Todd avait souri. Il adorait le duo que formaient Labonté et Jolicœur.

— T'es jaloux, avait répondu Labonté. Tu voudrais être le seul qui compte dans ma vie.

— Si tu sais ce qui est bon pour ta santé, tu vas arrêter ça tout de suite, lui avait répondu Jolicœur en prenant une nouvelle bouchée.

Todd et Labonté avaient ri en chœur et attaqué leur hamburger à leur tour.

La panse bien pleine, ils avaient commandé des cafés à emporter et étaient allés dans l'aire de pique-nique aménagée sur le côté du restaurant. Comme la journée n'était pas des plus chaudes, l'endroit n'était pas fréquenté et ils pourraient ainsi discuter de l'affaire loin des oreilles indiscrètes.

— J'ai demandé à Mercier au Labo, disait maintenant Todd, assis sur une des tables à pique-nique, si toutes les empreintes prélevées chez Éthier avaient été identifiées. À part quelques partielles qui ne sont pas identifiables, les autres appartenaient toutes à Éthier.

— Ça ne prouve pas grand-chose, avait dit Jolicœur. Éthier aurait pu rencontrer sa « petite mère » chez elle ou dans un motel...

— Peut-être, mais ce qui est étrange, et que je viens de découvrir, c'est que toutes les empreintes lisibles ont été prélevées dans le même recoin. Comme si le reste de l'appartement avait été nettoyé...

Cette fois, Labonté et Jolicœur l'avaient regardé avec intérêt.

— Ça ne prouve pas que Mary Pettigrew a été sa copine, ni qu'elle est allée dans son taudis, avait réfléchi Labonté à voix haute, mais ça prouve que quelqu'un ne voulait pas qu'on découvre son passage chez Éthier. C'est déjà ça, avait-il ensuite ajouté, dépité.

Todd l'avait interrogé du regard.

— Ta pêche a été meilleure que la nôtre, l'avait-il informé.

Jolicœur avait lancé son verre de polystyrène dans le panier à déchets avant de dire :

— On est retournés au Thirsty Cowboy, mais on n'a rien appris de plus que la dernière fois.

— Vous avez reparlé à Willie ? avait demandé Todd.

— Willie était déjà passablement soûl quand on est arrivés. De toute façon, je ne pense pas qu'il en sache plus.

— On est passés à la pharmacie, au supermarché, au garage... avait continué Labonté, toujours la même réponse. Rick Éthier n'a jamais été vu en compagnie d'une femme. Du moins pas d'une femme consentante.

Todd l'avait regardé.

— Il avait l'habitude d'ennuyer les femmes dans la file pendant qu'il attendait derrière elles pour passer à la caisse.

— Au supermarché, j'ai demandé à la caissière si elle avait des noms à me donner, avait ajouté Jolicœur. Elle m'a répondu que je n'avais qu'à feuilleter l'annuaire téléphonique et choisir un nom.

— *What a looser!* s'était exclamé Todd, avant de vider son café et d'imiter Jolicœur en lançant son verre dans la poubelle.

62

L'inspecteur Trudel, qui avait des rapports à terminer à Montréal dont son évaluation de la division sud-est de l'ECV, s'était porté volontaire pour aller rencontrer Branchini. Il avait des questions à lui poser dont la moindre n'était pas : est-il possible qu'une femme du gabarit de Mary Pettigrew ait réussi à abattre Rick Éthier d'un seul coup de hache ?

Sylvio avait retiré le corps du tiroir réfrigéré et l'avait installé sur une table de métal dans la salle d'autopsie.

— Aide-moi à le retourner, demandait-il maintenant à Trudel.

L'inspecteur qui avait déjà enfilé des gants de latex avait obtempéré sur-le-champ.

— Tu vois, avait dit Sylvio en montant le point d'entrée de la hache, la coupure est franche. Le tranchant a pénétré les chairs d'un seul coup, traversant la cage thoracique et le poumon gauche pour finir en plein cœur. La hache n'est jamais ressortie. Du moins jusqu'à ce que les techniciens présents sur la scène, qui savaient qu'elle se déplacerait pendant le transport du corps, la retirent. Valait mieux que ce soit eux qu'un cahot. En faisant ça, ils préservaient la « qualité » de la blessure.

— La qualité ? avait répété Trudel, surpris par le terme.

Branchini avait ri.

— Ce n'est pas une nouvelle terminologie. C'est juste ma façon de dire que le moule que tu vois ici...

Branchini lui avait tendu une forme en latex.

— ... représente exactement la blessure. Sa forme, sa profondeur, son angle...

Trudel avait émis un sifflement admiratif.

— Pour que la hache entre dans le dos de notre victime dans cet angle-là... il fallait qu'elle soit penchée.

— Donnant une meilleure chance au tueur, debout derrière elle, de lui asséner un coup fatal, avait conclu Trudel.

— Exact. Et il ne faut pas oublier que quelqu'un qui sait manipuler une hache se sert du poids de celle-ci pour frapper. Alors, si l'on pense à la position penchée de la victime, on peut présumer que la hache est entrée avec une bonne vitesse dans le dos de l'homme.

— Une femme qui sait se servir d'une hache aurait donc pu lui asséner le coup.

— En toute probabilité. Et si l'on se fie au rapport de toxicologie que j'ai fait venir... même si elle l'avait raté au premier coup, notre homme n'aurait de toute façon pas été très combatif. Son alcoolémie était de 1,8 au moment de sa mort.

Autre sifflement de Trudel.

— Ç'aurait été un véritable massacre à la hache, avait-il conclu, mais elle l'aurait eu au bout du compte.

Branchini avait acquiescé puis avait remis le drap sur le corps, laissant à son assistant le soin de le replacer au frigo.

— En parlant de massacre à la hache..., avait-il dit plus tard en faisant signe à Trudel de s'asseoir sur le siège devant son bureau.

Trudel avait roulé des yeux.

— Je suis désolé, Sylvio… Je n'aurais pas dû te mêler à cette histoire.

— C'est réglé ?

Trudel s'était mordu l'intérieur des joues.

— À ce point-là ? avait demandé Sylvio en souriant.

— C'est drôle… J'ai toujours reproché à Kate de ne voir la vie qu'en noir et blanc… Mais je l'envie aujourd'hui. Ce serait préférable à cette zone grise où je me trouve en ce moment.

Branchini l'avait regardé avec intérêt.

— Tu étais d'accord pour l'enfant ? avait-il questionné à brûle-pourpoint après un moment.

Trudel s'était massé le front, sentant la migraine qui se pointait.

— Quel homme dans la cinquantaine se refuserait une promesse d'éternité ? avait-il offert en guise de réponse.

Sylvio avait hoché la tête.

— Et cette éternité… C'est avec Julie que tu avais envisagé de la passer ?

— Tu étais psychologue avant d'être pathologiste ? avait rétorqué Trudel, dérangé par la question.

Sylvio avait réfléchi un moment.

— Tout ce que je peux dire… c'est que j'ai trois beaux enfants pour lesquels je serais prêt à donner ma vie s'il le fallait. Rien de moins. Et aucun enfant, Paul, ne mérite moins que ça, avait-il ajouté.

Trudel avait grimacé involontairement. Il n'y avait pas que Branchini qui lui faisait du rentre-dedans. Sa migraine aussi.

63

La veille, Kate avait décidé d'une réunion au poste de Brome-Perkins pour dix-neuf heures le lendemain. Elle savait que Trudel ne serait pas revenu de Montréal, mais cela donnerait à Labonté, à Jolicœur et à Todd le temps d'explorer la question de la « petite mère », et à elle, le temps de rendre visite à Marquise Létourneau.

— J'ai fouillé dans les dossiers du Dr Thérien comme vous me l'aviez demandé, lui avait dit la psychiatre au cours de leur entretien. Je n'ai rien trouvé au nom de Mary Pettigrew. Vous êtes certaine qu'elle était toujours en traitement ?

— C'est ce qu'elle m'a laissé entendre, avait dit Kate. Pourquoi croyez-vous que quelqu'un mentirait à ce sujet ?

La psychiatre avait réfléchi à la question.

— Il y a plusieurs raisons de mentir, avait-elle dit, après un moment. Dans certains cas, cela peut même être pathologique...

Kate avait semblé perplexe.

— Kate ?

— Pardon, j'étais perdue dans mes pensées.

— Vous savez... Votre Mary pourrait avoir été traitée par le docteur et je pourrais ne pas avoir le dossier en main. C'est une possibilité. Claude Thérien conservait peut-être des dossiers ailleurs qu'au centre. Par ailleurs, elle pourrait aussi avoir menti... et ce mensonge pourrait être lié à une pathologie. Mais il se pourrait aussi que ce soit simplement un bon vieux mensonge. Pour cacher quelque chose.

Kate avait réfléchi longuement à ce que la psychiatre venait de dire avant de reprendre la parole.

— Vous vous y connaissez en magie ? avait-elle demandé, songeuse.

— Non..., avait répondu la psychiatre, interloquée par la question.

— Quand la main droite d'un magicien fait un geste pour nous distraire de ce que fait sa main gauche, cela s'appelle un *misdirect*. Il désoriente le spectateur...

La femme avait hoché la tête, comprenant où Kate voulait en venir.

— Il dirige l'attention des spectateurs ailleurs... pour qu'ils ne voient pas les trucages.

— Exact... Il se pourrait bien que Mary Pettigrew ait développé un grand talent de magicienne, avait-elle dit, énigmatique, avant de quitter le bureau pour aller rejoindre ses collègues au poste.

— Mais pourquoi nous avoir menti sur sa santé mentale ? demandait maintenant Jolicœur, après avoir écouté Kate leur raconter ce qu'elle avait appris.

— Vraisemblablement parce que c'est une excellente manipulatrice. En nous faisant croire qu'elle souffrait de dépression chronique, elle tablait sur nos préjugés.

— Nos préjugés ? avait répété Labonté.

— Elle voulait qu'on la pense moins... intelligente.

— Je ne comprends toujours pas..., avait dit Jolicœur.

Todd avait déposé sa tasse de café sur la table avant de parler.

— Je vois où Kate veut en venir. Les gens ont tendance à confondre santé mentale et intelligence. Tu n'es pas en bonne santé mentale, donc tu n'es pas intelligent. Mary tablait sur ce préjugé.

— C'est une hypothèse, avait précisé Kate, qui hésitait à s'emballer.

— Et tout ce temps, elle nous poussait à croire qu'Arthur Thérien était le meurtrier, avait dit Labonté presque avec admiration. Vous vous rappelez au poste, quand on a retrouvé Arthur ? Ce qu'elle lui a murmuré à notre intention ? « Oh, Arthur, qu'est-ce que tu as fait ? »

Todd se souvenait très bien. Même que la phrase lui avait paru incongrue sur le moment.

— C'était... intime, avait-il dit à l'équipe en essayant d'expliquer son sentiment.

— Jésus-Christ ! s'était soudain exclamé Jolicœur. Mary m'a dit qu'elle n'avait pas vu Arthur Thérien au centre le matin du meurtre d'Éthier... En affirmant ça, elle sous-entendait qu'elle était présente au centre... Mais est-ce que quelqu'un a pris la peine de vérifier ses dires ?

Sous l'œil attentif de Kate, les enquêteurs s'étaient avidement jetés sur les dossiers de l'affaire éparpillés sur la table. Après les avoir passés en revue plus d'une fois, ils en étaient arrivés à la seule conclusion possible.

Mary avait été la seule à affirmer qu'elle était au centre le matin du meurtre de Rick Éthier. D'après les rapports des agents chargés de vérifier l'emploi du temps de chacun des employés du centre... Personne ne semblait avoir parlé, travaillé ou passé du temps avec elle.

Mary Pettigrew n'avait tout simplement pas d'alibi confirmé pour l'heure de la mort de Rick Éthier.

64

Paul Trudel était écrasé dans un fauteuil de son salon, éclairé uniquement par les dernières lueurs du soleil mourant derrière le mont Royal. Il n'avait pas voulu allumer quand la pénombre s'était installée, craignant une nouvelle flambée de migraine. Grâce à ses comprimés et quelques exercices de relaxation, il était enfin parvenu à la rendre tolérable. Tout ce qu'il voulait maintenant, c'était la paix. La sainte paix.

Mais il savait que la chose était impossible. Il devait faire face à la situation.

Trudel essayait désespérément de se souvenir de ce qu'il avait éprouvé en apprenant la nouvelle de la grossesse de sa compagne. Mais tout ce qu'il arrivait à se rappeler, c'était un engourdissement. Il avait absorbé la nouvelle, sans rien ressentir.

— C'est un accident, mais je veux le garder, avait dit Julie, ses grands yeux pleins d'espoir posés sur lui. Je le veux plus que tout au monde...

Et il avait accepté.

Était-ce son besoin primal de reproduction qui avait répondu ou un désir réel de fonder une famille, comme Sylvio l'avait fait avec Nico ?

Il a raison, Branchini, songeait Trudel. Le monde n'a pas besoin d'une preuve de masculinité de plus. La véritable question n'est pas : ai-je envie d'être un père ? Mais bien… Ai-je envie d'être un parent aimant, un éducateur consciencieux, un pourvoyeur responsable ? ai-je envie d'être un père… à mon âge ?

Trudel s'était pris la tête à deux mains.

Quand suis-je devenu cet homme ? s'était-il demandé. Quand suis-je devenu un homme infidèle, menteur, tricheur ? Le verdict était exagéré, il le savait au fond, mais c'était malgré tout l'opinion qu'il avait de lui-même en cet instant. Son incapacité à faire un choix consciencieux l'avait fait trahir tous ceux qu'il aimait. Même son enfant à venir…

Trudel, qui en se levant du fauteuil avait envoyé valser le verre d'eau qu'il avait déposé sur la table, avait été surpris d'entendre la voix de Julie.

— Il y a quelqu'un ? avait-elle demandé comme elle mettait les pieds dans l'appartement sans lumière, alarmée par le bruit.

— Ça va, c'est moi, avait dit Paul, prenant conscience qu'elle pouvait penser qu'il s'agissait d'un voleur.

Puis il avait allumé une lampe dans le salon.

— Désolé, j'avais une migraine et…

Il n'avait pas terminé sa phrase. Elle comprenait, il le savait. Ce n'était pas la première fois qu'elle le surprenait dans l'obscurité.

— C'est pour cette raison que tu es rentré si tôt ? avait demandé Julie.

Paul avait été tenté de lui répondre que c'est parce qu'il se questionnait sur l'enfant à venir, son désir d'être père, son amour pour elle… Mais il avait finalement esquivé la conversation. Encore une fois.

— Oui. Les maudites migraines ne me lâchent pas depuis un bout de temps ! J'ai consacré deux ans à mettre sur pied l'Escouade des crimes violents, et maintenant…

Julie l'avait regardé qui s'éloignait vers la chambre et un nuage de tristesse avait voilé ses yeux. Elle n'était pas dupe. Paul avait migraine sur migraine depuis qu'elle lui avait annoncé sa grossesse. Et elle ne parvenait pas à lui soutirer plus de deux mots à la fois sur le sujet…

C'est à ce moment précis que Julie avait gémi et s'était pris le ventre à deux mains.

Pendant que, par terre, entre ses jambes, une tache de sang s'élargissait sur la moquette.

65

La veille, les membres de l'Escouade avaient décidé que, s'ils désiraient obtenir des résultats dans les trente-six heures accordées par Trudel, leur meilleure option serait de faire craquer Mary Pettigrew.

Kate et Todd s'étaient donc rendus tôt ce matin-là à Serenity Gardens et avaient poliment demandé à Mary de les accompagner au poste pour répondre à quelques questions.

— Nous avons besoin de vos lumières, avait honteusement menti Kate pour l'amadouer.

Mary Pettigrew n'avait offert aucune résistance et les avait suivis comme un agneau.

Elle était maintenant assise bien droite dans la salle d'interrogatoire, les mains croisées sur ses genoux, attendant patiemment que quelqu'un vienne l'interroger.

— Elle fait probablement ses prières, avait dit Kate derrière le miroir sans tain où elle se trouvait avec le reste de l'équipe.

— On la laisse mariner encore longtemps ? avait demandé Jolicœur.

— Pour ce que ça donne, avait répondu Labonté. Elle n'a pas l'air nerveux du tout. À se demander si on ne s'est pas complètement gourés !

271

— Vas-y, Todd, avait dit Kate. Ça ne sert à rien d'attendre plus longtemps.

Il avait été décidé que Todd commencerait l'interrogatoire. Mary le connaissait depuis longtemps et elle se sentirait sûrement en confiance avec lui. Kate interviendrait plus tard. Pour asséner les coups. Psychologiques, bien entendu.

— Todd..., avait simplement dit Mary en le voyant entrer dans la salle.

— As-tu des objections à ce que l'entretien soit enregistré ? avait dit Todd sans préambule.

Mary l'avait regardé avec de grands yeux ronds, mais elle n'avait rien objecté.

— Oh... oui... si ça peut vous aider.

— Très bien.

Todd avait mis l'appareil en marche et avait enregistré le laïus d'usage avant d'amorcer l'interrogatoire de Mary. Date, heure, lieu, noms de la personne interrogée et de l'interrogateur. Il avait terminé en reposant sa question de départ.

— Mary Pettigrew, acceptez-vous que cet entretien soit enregistré ?

Cette répétition avait fait rire Mary, qui s'y était prêtée comme un enfant se prête à un jeu.

— Oui, j'accepte, avait-elle dit en se penchant vers le micro.

Et Todd s'était mis à lui poser des questions sur son emploi du temps le jour du meurtre de Rick Éthier.

— Mary, avait-il demandé, peux-tu nous dire où tu te trouvais, ce matin-là ?

Mary l'avait regardé avec étonnement.

— Pardon ?

— Je te demande où tu étais le matin du meurtre de Rick Éthier, avait calmement répété Todd.

272

Les membres de l'équipe qui les observaient à travers le miroir sans tain s'étaient tous questionnés du regard.

— Elle joue l'innocente ? avait lancé Jolicœur. Parce que si ce n'est pas le cas, elle a vraiment l'air de ne pas comprendre la question.

— Exactement ce que je me demandais, avait dit Kate, songeuse.

— Mary ? avait insisté Todd, après quelques secondes.

Mary avait froncé les sourcils.

— Je ne comprends pas… Tu veux savoir où j'étais dans le centre ?

— Ou simplement… si tu étais au centre, avait suggéré Todd subtilement.

Mary avait soudain paru contrariée.

— Bien sûr que j'étais au centre ! Si je n'avais pas été au centre, je n'aurais pas pu te dire que je n'avais pas vu Arthur et que je ne savais pas où il se trouvait ce matin-là. Quelle sorte de question tu me poses, Todd Dawson ? l'avait-elle fustigé. Je te dis qu'Emma ne serait pas fière de toi !

La réaction de Mary avait pris Todd au dépourvu. Elle l'avait réprimandé comme l'aurait fait sa propre mère. Pas du tout la réaction qu'on attend d'une coupable. Il s'était retourné vers le miroir sans tain, l'air complètement déboussolé.

De l'autre côté, les enquêteurs semblaient tout aussi surpris.

— Qu'est-ce qu'on fait maintenant ? avait demandé Jolicœur au bord du fou rire tellement la situation était étrange.

— On envoie des renforts, avait répondu Kate en mettant la main sur la poignée de la porte de la salle d'interrogatoire.

66

Madeleine Collard qui, après plusieurs supplications de la part de sa fille, avait accepté de la suivre au bord de la rivière, le regrettait amèrement. Elle savait par expérience que ce n'était pas une bonne idée. Depuis la mort de son fils, elle n'était jamais parvenue à s'approcher de la rivière. Et même s'il était mort en amont de l'endroit où elle se trouvait maintenant, cela ne faisait aucune différence. Invariablement, elle imaginait le corps de son fils dérivant dans le courant et aboutissant à ses pieds. Mort.

Madeleine avait porté la main à son cœur.

L'angoisse qui l'étreignait en ce moment ne la quitterait sans doute pas avant qu'elle n'absorbe un anxiolytique. Mais elle n'en avait pas sur elle, ayant laissé son sac à main dans la chambre d'Élisabeth.

— C'est assez ! Il faut rentrer maintenant ! avait-elle crié, assez fort pour qu'Élisabeth, absorbée par la truite qui semblait suivre sa mouche, l'entende.

— Oh, non ! Tu l'as fait fuir.

Résignée, Élisabeth avait ramené sa ligne et était revenue s'asseoir sur son fidèle tronc d'arbre. Il lui fallait préparer sa canne pour le transport et ranger ses mouches.

Madeleine avait eu un mouvement d'impatience, mais elle était malgré tout allée rejoindre sa fille sur la rive.

La proximité de l'eau l'angoisserait davantage elle le savait, mais si elle aidait Élisabeth, cela accélérerait les choses. Et elles seraient bientôt de retour au centre.

— Dépêche-toi, avait-elle dit en arrivant près d'elle, arrachant le chapeau de pêche de la tête de sa fille pour y retirer les mouches qu'elle y avait piquées et les ranger à leur place dans une petite boîte de métal.

En serrant les mouches, elle avait été envahie par une bouffée de tristesse. Elle avait déjà connu une autre vie. Une vie difficile, certes, mais une vie où l'espoir existait. Alors que maintenant...

Elle avait délaissé le coffret et avait regardé Élisabeth. Ma fille..., avait-elle songé.

Madeleine Collard n'était jamais parvenue à concilier ce mot avec l'être assis sur le tronc d'arbre. Quelques éclairs diffus de temps à autre, comme cette pensée fugitive qu'Élisabeth avait hérité de son goût pour la pêche, mais pas de sensation, de sentiment tangible.

Une nouvelle vague d'angoisse l'avait submergée.

— As-tu fini ? avait-elle demandé en rangeant la dernière mouche dans le coffret.

— Une seconde..., avait répondu Élisabeth, concentrée sur son travail, ne voulant pas que la soie se déroule du moulinet pendant le transport de la canne.

Impatiente de retrouver ses comprimés, Madeleine s'était levée et avait commencé à marcher en direction du sentier qui traversait le petit bois pour arriver au centre.

— À quoi ça sert, les pentacles ? avait soudain demandé Élisabeth derrière elle.

— Les pentacles ? avait répété Madeleine en se tournant lentement vers sa fille.

— Oui, tu sais...

Puis Élisabeth, avec le bout de sa canne à moucher, avait dessiné, dans la terre à ses pieds, une étoile entourée d'un cercle.

67

En pénétrant dans la salle d'interrogatoire, Kate avait fait signe à Todd de lui céder sa place. Celui-ci, encore surpris par l'attitude de Mary, ne s'était pas fait prier et avait obtempéré sur-le-champ, se réfugiant dans un coin de la salle en dehors du champ de vision de Mary.

— Bonjour Mary, avait dit Kate en s'assoyant devant elle, de l'autre côté de la table.

Puis Kate, au bénéfice de l'enregistrement, avait prononcé haut et fort son nom, son grade, l'heure et la date à laquelle elle s'était jointe à l'enregistrement.

— J'espère que vous ne me poserez pas des questions inutiles comme Todd, avait dit Mary, encore visiblement vexée. Je n'ai pas envie de perdre mon temps ici. J'ai des choses urgentes à faire au centre.

— Bien sûr, avait répondu Kate, tout en consultant un dossier devant elle. Je comprends…

Mary avait semblé satisfaite de la réponse de Kate.

— Dites-moi, Mary, avait poursuivi Kate, vous aimiez être traitée par le Dr Thérien ?

Mary avait eu l'air étonné par la question, mais elle n'avait pas hésité à répondre.

— C'était un homme merveilleux. À tout point de vue, avait-elle ajouté en rougissant. « Bienheureux les… »

Mais Kate l'avait coupée fermement avant qu'elle ne termine sa citation.

— Vous aviez des liens personnels avec lui ? avait demandé Kate, intriguée à l'idée de savoir quel genre de réponse allait donner Mary à cette question, considérant somme toute que le fils de celle-ci avait été l'amant du Dr Thérien.

Mary avait paru décontenancée.

— Le docteur… Oui… Nous nous connaissions bien avant qu'il me traite.

— Vous étiez amis ? avait insisté Kate.

— En quelque sorte, avait finalement admis Mary. J'étais sa belle-mère.

Kate avait été surprise de sa franchise.

— Sa belle-mère ? avait-elle répété pour inciter Mary à se livrer davantage.

— Le Dr Thérien et mon fils formaient un couple. Ils ont eu un accident de voiture et mon fils est mort. Dans des circonstances particulières que, avait-elle ajouté pour clore le sujet, vous ne tarderez pas à apprendre en consultant le dossier.

Kate avait regardé Todd appuyé sur le mur du fond et avait de nouveau posé son regard sur Mary.

— Nous sommes au courant, avait-elle dit. Pourquoi avez-vous négligé de nous mentionner vos liens avec le docteur ?

— Si vous êtes « au courant » comme vous dites, avait répondu Mary apparemment vexée par la révélation de Kate, vous devez comprendre que ce n'est pas un sujet dont j'ai envie de discuter…

— Parce que cela vous met en colère ? l'avait interrompue Kate aussitôt.

Mary avait froncé les sourcils.

— Je ne comprends pas pourquoi vous me posez ces questions. Je ne vois pas le rapport avec le meurtre de Rick Éthier !

— Répondez à ma question, Mary. Aviez-vous du ressentiment envers le docteur à cause de l'accident… et de ses circonstances ?

Mary l'avait regardée avec intensité, comme si elle cherchait à comprendre pourquoi on revenait sur cette histoire. Puis elle avait abdiqué.

— J'étais inconsolable quand mon fils est mort. Claude également. Et nous étions tous les deux malheureux des circonstances qui avaient entouré l'accident. Si j'étais fâchée contre lui ? Je l'ai peut-être été, un court moment, parce qu'il était au volant. Mais pour le reste, vous devez savoir qu'il a payé assez cher sa… son… enfin vous savez quoi.

— Pourtant vous êtes très religieuse…, avait insisté Kate.

— Je pratique ma propre religion, fondée sur le pardon et la tolérance. Ce n'est pas parce que je cite la Bible que je porte des œillères…

Kate avait gardé le silence quelques secondes. Suffisamment longtemps pour que Mary commence à comprendre…

— Vous croyez que j'ai un lien avec le meurtre de Claude…, avait-elle finalement conclu, démontée. Mais je ne pourrais jamais… Claude m'a sauvé la vie.

— Justement, nous n'avons retrouvé aucun dossier à votre nom au centre.

— Mon dossier avec le docteur n'est pas au centre, avait répondu Mary, révoltée. Il est à l'hôpital Brome-Missisquoi-Perkins, où le Dr Thérien m'a traitée lorsque j'étais en crise. Il y a dix ans. Après la mort de mon fils… Depuis, je ne vois que mon généraliste pour le suivi. Je n'en reviens pas… Vous avez vraiment cru que j'aurais pu le tuer ? Mais quelle sorte de policiers êtes-vous, Todd et vous ?

Et voilà. Ils en revenaient au même point.

Dans son coin, Todd avait toussoté, et Kate l'avait gratifié d'un regard oblique.

68

Madeleine Collard avait cru mourir sous l'étreinte de sa crise d'angoisse quand elle avait vu le pentacle entouré d'un cercle que sa fille avait dessiné dans le sol.

— Ça ne sert à rien, avait-elle réussi à articuler entre deux respirations difficiles. C'est juste... un joli dessin.

Élisabeth avait froncé les sourcils. De toute évidence, elle n'avalait pas cette explication.

— Qui t'a montré ça? avait demandé Madeleine, craignant le pire.

Élisabeth avait haussé les épaules, consciente tout à coup qu'elle risquait de se faire punir si elle disait la vérité.

— Je l'ai vu à la télé. Dans l'émission sur...

Madeleine avait gémi sous le coup de la douleur. Un poids comprimait ses poumons. Elle étouffait.

— Élisabeth..., était-elle parvenue à dire assez fort pour arrêter la jeune fille dans son élan. J'ai besoin de mes médicaments.

Élisabeth, qui gérait mal le stress, s'était figée sur place en constatant soudainement l'état dans lequel se trouvait sa mère.

— Aide-moi, l'avait suppliée Madeleine avec effort, tentant de maîtriser sa respiration et la terreur qui l'habitait. Il faut juste que tu me ramènes au centre...

— Le centre, oui…

Élisabeth avait alors pris les devants et guidé sa mère sur le sentier. Arrivée à destination, la jeune fille avait abandonné sa mère dans le hall et couru chercher les comprimés de celle-ci.

— Cela vous arrive souvent, madame Collard ? lui avait demandé le Dr Pelland, qui avait assisté à la scène.

— Non, non…, avait-elle tenté d'expliquer à la psychiatre. Les crises ont commencé après la mort de mon fils, mais je n'en fais presque plus. Les médicaments sont juste une précaution. Je les prends rarement. La preuve, je ne les traîne même pas sur moi, avait-elle précisé avec un faible sourire.

Le docteur avait failli ajouter quelque chose, puis elle s'était ravisée.

— Vous devriez parler de cette crise à votre médecin. Il pourrait peut-être vous suggérer autre chose que des comprimés…

Une thérapie, par exemple, avait songé Diane Pelland en pensant au nombre croissant d'antidépresseurs et d'anxiolytiques que les médecins prescrivaient aujourd'hui sans chercher la cause profonde de l'angoisse.

Sa crise maîtrisée, Madeleine avait abandonné Élisabeth aux bons soins du personnel, mais n'avait pas pour autant quitté le centre. L'histoire des pentacles la taraudait. Il aurait fallu qu'elle creuse le sujet, mais ici, au centre, elle ne pourrait interroger Élisabeth loin des oreilles indiscrètes.

Réfugiée dans les toilettes des visiteurs, en proie à la panique, Madeleine Collard avait fermement agrippé les rebords de l'évier. Un tremblement incontrôlable s'emparait d'elle. Mais qu'ai-je fait ? avait-elle soudain demandé à son double dans le miroir. Et qu'est-ce que je vais faire maintenant ?

69

— Pet, avait répété Mary à la question de Kate. Oui, bien sûr, je sais qu'Élisabeth m'appelle comme ça. Ce n'est pas très sympathique comme surnom. Mais vous savez... les enfants peuvent être méchants quelque fois.

Le lieutenant McDougall lui avait posé la question parce qu'elle croyait qu'il y avait peut-être une raison au comportement de la jeune fille à l'égard de Mary. En d'autres mots, si Élisabeth avait pris Mary en grippe, c'est qu'elle avait peut-être eu l'intuition de sa véritable nature... celle d'une meurtrière.

Maintenant, Kate se sentait totalement ridicule d'y avoir même songé. L'allure de Mary, ses sempiternelles citations de la Bible, son comportement de mère poule... autant de raison d'attirer les quolibets d'un enfant. Sans compter son nom. Tout simplement.

— C'est étrange, avait signalé Todd, qui s'approchait maintenant de la table, Arthur Thérien n'a jamais fait mention de votre lien...

— Parce qu'il l'ignore, avait rétorqué Mary.

Todd avait interrogé Kate du regard.

— Arthur Thérien refusait l'homosexualité de son fils. Il ne connaissait rien de sa vie privée, avait avancé

Kate, comprenant maintenant toute la dynamique de la relation entre Mary Pettigrew et Arthur Thérien.

Mary avait acquiescé en silence. Puis elle avait ajouté :

— Arthur Thérien n'est pas un mauvais homme. Il aimait son fils. Je le sais.

— Et c'est pour cette raison que vous veillez sur lui, avait dit Kate.

Mary avait souri tristement.

— Je suis le seul membre vivant de sa famille… même s'il ne le sait pas.

Kate avait regardé Todd

— Tu avais raison de ne pas y croire, avait-il dit.

De toute évidence, ils avaient de nouveau fait fausse route. Mary Pettigrew n'était sûrement pas la complice qu'ils recherchaient.

— Mary, avait poursuivi Kate en mettant fin à l'enregistrement, j'aurais encore quelques questions à vous poser… Si vous êtes toujours d'accord pour nous aider, avait-elle cette fois ajouté avec sincérité.

Bonne enfant, Mary avait acquiescé. Todd avait alors regagné la table, à côté de Kate.

— Qu'est-ce que vous faisiez au juste au centre le matin du meurtre de Rick Éthier ? avait demandé Kate pour boucler la boucle.

— Ce que je fais tous les dimanches… J'étais enfermée dans mon bureau à faire les comptes de la semaine. C'est le seul moment où je peux travailler en paix. Le téléphone ne sonne pas, et le reste du personnel administratif est en congé. Donc personne pour me déranger…, avait-elle ajouté avec un sourire. En échange, je prends congé le mercredi…

C'est pourquoi personne ne semblait l'avoir vue ce matin-là, avait songé Kate en soupirant.

— Connaissiez-vous cet homme ? avait ensuite demandé Kate en lui tendant une photo du visage de Rick Éthier, prise sur la scène du crime.

Mary avait grimacé.

— Celui-là… tout le monde le connaissait.

— Mais… Le connaissais-tu personnellement ? avait insisté Todd.

— Oh, non. Et je n'aurais pas voulu.

Et elle avait vigoureusement secoué la tête pour souligner son point de vue.

Todd et Kate s'étaient regardés. Ils ne semblaient pas avoir d'autres questions. En fait, ils étaient carrément découragés.

— Je ne comprends pas ! s'était alors exclamée Mary sans avertissement. Je ne comprends pas comment Madeleine Collard faisait pour l'endurer !

À voir Kate et Todd, on aurait cru que Mary venait de les tétaniser.

— Madeleine Collard, avait répété Kate, estomaquée.

Mary les avait fixés, inquiétée par leur réaction.

— Oui…, avait-elle dit avec un filet de voix. Je crois qu'ils étaient… amis.

— Tu crois ? avait répété Todd.

Mary les avait regardés et avait rougi.

— J'ai… je… je les ai déjà surpris dans le bois derrière le centre. Il… l'embrassait, avait ajouté Mary, visiblement dégoûtée.

— Ils vous ont vue ? avait demandé Todd, conscient du danger qu'elle pouvait courir.

Mary avait rougi encore une fois.

— Je… j'étais cachée par un arbre. Je suis partie aussitôt…, avait-elle ajouté pour se disculper.

— Vous n'avez donc pas surpris de conversation entre eux ? avait voulu préciser Kate.

Mary avait secoué la tête.

— Non…

Puis elle avait conclu en frémissant :

— C'était vraiment dégoûtant de les voir !

70

Kate avait demandé aux patrouilleurs de reconduire Mary au centre et avait ensuite rejoint Todd, Labonté et Jolicœur dans la salle de réunion.

— Paul vous a-t-il fait part de son emploi du temps aujourd'hui ? les avait interrogés Kate, qui ne parvenait pas à joindre Trudel, ni sur son cellulaire ni à la maison.

Les sergents s'étaient consultés du regard, puis ils avaient secoué la tête. Personne ne semblait savoir où il se trouvait.

Kate aurait aimé faire part à Trudel des derniers développements de l'affaire, mais la chose devrait attendre le moment où il daignerait se manifester. C'était quand même surprenant qu'il ne soit pas joignable, avait songé Kate. Totalement contraire à ses habitudes…

— Bon ! Qu'est-ce qu'on sait ? avait-elle demandé, désirant s'assurer qu'ils ne poursuivaient pas une nouvelle fausse piste.

— Nous avons la preuve que Madeleine Collard avait une relation intime avec Rick Éthier, avait dit Todd. Elle pourrait donc être la fameuse complice…

— À cause de sa fille, elle fréquentait le centre, avait continué Labonté. Elle avait la possibilité de subtiliser le cellulaire d'Arthur Thérien. Elle pouvait aussi être au courant pour les messages textes…

— Comme Éthier, elle était une déshéritée, avait ajouté Kate.

Ils l'avaient regardée.

— Claude Thérien a acheté le terrain du centre des mains du père de Madeleine Collard.

— Ils avaient donc tous les deux des raisons d'en vouloir à Claude Thérien, avait conclu Jolicœur. Madeleine Collard aurait pu faire miroiter ces raisons à Éthier. S'en servir pour le pousser à accomplir sa propre vengeance…

Kate avait tiqué.

— Quoi ? lui avait demandé Todd.

— Il y a quelque chose qui me dérange. Que Madeleine Collard se soit servie de l'histoire de l'héritage volé pour pousser Éthier à tuer Claude Thérien, ça va. Je suis capable d'envisager que ce soit un mobile suffisant pour Éthier. Là où le bât blesse… c'est en ce qui concerne le mobile de Madeleine Collard. Elle n'aurait pas tué pour une histoire de terrain…

— Qu'est-ce qui te fait dire ça ? avait demandé Jolicœur, sceptique.

Kate avait haussé les épaules.

— Ça ne correspond pas à l'idée que je me fais d'elle.

Ils l'avaient regardée, étonnés.

— Elle ne dégage pas une impression de faiblesse comme Éthier. Ce n'est pas le même genre de victime… Éthier était un piètre individu, superficiel, sans génie, envieux. Tandis que cette femme… Madeleine Collard a perdu un fils dans un accident, un mari à cause d'un cancer et a accouché d'une fille schizophrène. Contrairement à Éthier, elle n'est pas l'artisan de son malheur. Le malheur s'est… abattu sur elle.

— Comme dans une tragédie, avait murmuré Jolicœur. Exactement comme dans une tragédie…

— Voilà ! avait dit Kate. Madeleine Collard est un modèle de destin tragique. Il doit y avoir quelque chose dans le passé de cette femme…

Kate s'était arrêtée.

— La schizophrénie, avait-elle alors demandé à Todd, est-ce que c'est héréditaire ?

— Tu penses que Madeleine Collard est…

— Non… je songe à son fils.

Todd avait réfléchi à la question.

— Si la mère de Madeleine Collard était schizophrène, Madeleine aurait pu hériter de la maladie, ou la transmettre à ses enfants. Ce qui est effectivement arrivé à sa fille… et aurait très bien pu arriver à son fils.

— Et si son fils était schizophrène, avait poursuivi Kate, il aurait pu être traité par le Dr Thérien. Peut-être Madeleine Collard a-t-elle cru que le docteur était responsable de la mort de son fils ?

— Ça me revient, avait dit Todd. Il me semble me rappeler d'une histoire de noyade, il y a environ quinze ans, où il avait été question de suicide… Je ne sais plus s'il s'agissait de Luc Collard, mais s'il s'est suicidé, ce qui n'est pas inhabituel chez les schizophrènes, et s'il était sous les soins de Claude Thérien…

— Madeleine aurait pu le rendre responsable du suicide de son fils…, avait continué Kate sur la lancée de Todd.

— Tu lis dans mes pensées, avait dit Todd en souriant.

— Labonté et Jolicœur, avait ordonné Kate, allez me fouiller ça. Déterrez tout ce qu'il y a à déterrer sur Luc Collard !

— C'est comme si c'était fait ! avaient-ils répondu de concert avant de quitter la pièce.

— Todd…

— *Yes ?*

— Il nous faut un mandat pour fouiller la résidence de Madeleine Collard.

— *I'm on it...*, avait-il répondu en saisissant le veston de cuir posé sur le dossier de sa chaise.

Une fois seule, Kate avait de nouveau essayé de joindre Trudel, mais sans résultat. Elle avait déjà laissé des messages sur son cellulaire, au QG de Montréal et chez lui. Étrange quand même qu'il ne rappelle pas..., avait-elle songé avec une pointe d'inquiétude. Puis elle s'était souvenue que son propre cellulaire était désactivé. Après tout, Paul avait peut-être essayé de la joindre sans résultat.

71

Après la réunion, Kate avait pris la direction de Sherbrooke et du bureau de Marquise Létourneau. Elle allait profiter de son rendez-vous personnel pour tenter d'établir, avec l'aide de la psychiatre, le profil de Madeleine Collard. Mais comme elle en avait le temps, elle s'était arrêtée chez Bud's.

En grignotant l'énorme sandwich que Bud lui-même lui avait préparé, Kate avait, du téléphone public au fond du resto, pris les messages sur sa boîte vocale personnelle et sur celle de son bureau. Contrairement à ses attentes, Paul ne s'était pas manifesté.

— Que savez-vous de ses rapports avec son mari ? lui avait demandé plus tard Marquise Létourneau, après que Kate lui avait expliqué son désir de « profiler » Madeleine Collard.

— Peu de choses, avait répondu Kate, mais je crois qu'on peut présumer, à cause de la nature de ses liens avec Éthier, que cette femme avait des rapports troubles avec les hommes.

— Elle aurait pu avoir été abusée par son père… Ou même par son mari…, avait dit le docteur. Ce qui expliquerait son amour exagéré pour son fils… Mais cela n'expliquerait pas ce qui l'aurait poussé à tuer pour venger la mort de son fils. Elle n'est pas la première femme à perdre un fils dans un suicide… La majorité des femmes se rendraient malades de rage refoulée, mais ne tueraient pas pour autant.

— Le crime n'était pas passionnel, avait dit Kate. Il a été planifié à la lettre. Prémédité. Une vengeance froide, avait-elle ajouté.

— Une vengeance qui a mûri longtemps…, avait renchéri la psychiatre, qui réfléchissait à voix haute.

— Pardon ?

— Je crois comprendre, avait poursuivi la psychiatre. Madeleine Collard a commencé par souhaiter la mort du docteur. Elle a invoqué le ciel pour qu'il lui rende justice. Et sûrement imaginé la nature de la vengeance divine. Du genre… le docteur mourant dans un terrible accident, ou se faisant tuer par un de ses patients…

— Jusque-là rien d'anormal, avait dit Kate. Pour être honnête, il nous est tous arrivé de souhaiter la mort de quelqu'un.

— Exact, avait acquiescé la psychiatre. Mais c'est à partir de ce moment que Madeleine Collard a dérapé. Elle est passée de « souhaiter sa mort » à « élaborer des scénarios de mise à mort ».

— Vous croyez qu'elle n'est pas « normale » ? avait demandé Kate.

— Si vous voulez savoir si elle a des carences affectives… Oui. Si elle est folle dans le sens légal du terme ? Si elle peut différencier le bien du mal ? Hypothétiquement, car c'est tout ce que je peux faire sans l'avoir observée, je vous dirais que je ne crois pas. Vous savez, tout comme moi, qu'il n'est pas nécessaire d'être « fou » pour tuer. Et le fait qu'elle a élaboré des scénarios dans lesquels quelqu'un d'autre en voulait au docteur… Dans lesquels quelqu'un d'autre accomplissait sa vengeance… tend à me prouver qu'elle n'a pas perdu la raison.

— Elle a laissé libre cours à un fantasme…, avait dit Kate, qui pouvait facilement comprendre comment on peut glisser du fantasme à la réalité.

— Quelque chose de cet ordre. Avec le temps, l'idée du meurtre du docteur par personne interposée est devenue familière. Comme une amie…

— Et l'occasion s'est présentée, avait terminé Kate, en la personne de Rick Éthier. Elle a fantasmé la mort du docteur et un autre a réalisé ce fantasme pour elle.

— Je ne crois pas qu'elle ait retiré une quelconque satisfaction de la mort du docteur, avait dit la psychiatre. L'acte accompli, elle a dû se rendre compte que cela ne changeait rien. Que la mort de Claude Thérien ne lui rendrait pas son fils…

— Et qu'elle était alors complice d'un meurtre…, avait ajouté Kate, et liée pour la vie à Rick Éthier.

À cette pensée, Kate avait frissonné.

— Pour se venger, avait continué la psychiatre, Madeleine Collard s'est créé un enfer sur terre. Un enfer de trop, apparemment. C'est à ce moment-là qu'elle est passée d'une attitude passive à une attitude active, en tuant Rick Éthier.

— Oui, un enfer de trop, avait répété Kate en réfléchissant à voix haute.

Elle n'arrivait pas à oublier l'histoire de la grossesse tardive… Les femmes en préménopause sont généralement prudentes quand elles ont des relations sexuelles. Elles savent que leur cycle n'est plus régulier. Comment cette femme s'était-elle donc retrouvée enceinte ? Elle n'était pas célibataire et n'avait pas de vie débridée. Des situations où l'on pourrait présumer que le sexe est plus spontané… moins préparé. Elle avait le même compagnon depuis trente ans. Il était facile pour elle de se protéger. L'accident était possible, bien sûr, mais elle avait aussi pu être victime d'un mari abusif…

— Madeleine Collard a enduré Rick Éthier, avait-elle conclu, parce qu'il n'était pas différent de son mari…

— C'est très probable, avait confirmé la psychiatre.

Kate avait alors songé à sa propre mère. Elle aussi avait subi les assauts d'un mari abusif. Elle en était même morte…

— À quoi pensez-vous ? avait demandé Marquise Létourneau qui lisait la révolte sur le visage de Kate.

— Ma mère, pourtant si intelligente, a pendant des années succombé aux coups de mon père, un homme d'une médiocrité sans nom, avant de tenter de fuir… Comment des femmes aussi intelligentes peuvent-elles tomber aux mains d'hommes pareils ? avait demandé Kate, exaspérée.

— Les carences affectives se jouent de l'intelligence…

Bien sûr, Kate connaissait la réponse. Elle la première…

— Madeleine Collard est peut-être troublée, mais elle ne semble pas manquer d'intelligence…, avait commenté la thérapeute.

Kate l'avait regardée en soupirant.

— Elle est très intelligente. Croyez-moi…

La preuve, avait-elle poursuivi pour elle-même. Elle a si bien couvert ses pistes que, depuis le début de l'enquête, comme des imbéciles, nous poursuivons des mirages.

72

En quittant le bureau de Marquise Létourneau, Kate avait pris la direction de Serenity Gardens. En attendant le rapport des sergents Labonté et Jolicœur sur le frère d'Élisabeth et le mandat de perquisition qui leur permettrait de fouiller la résidence de Madeleine Collard, elle avait pensé aller poser quelques questions au Dr Pelland, et peut-être, du même coup, glaner quelques informations supplémentaires d'Élisabeth. Avant de prendre la route, elle avait cependant pris soin d'aviser la centrale de sa destination. Elle avait été heureuse d'apprendre qu'ils avaient son nouveau numéro de cellulaire… qui ne serait toutefois activé que le lendemain. Kate avait alors eu une pensée meurtrière pour Lucky Luke.

C'est justement aux pensées meurtrières qu'elle songeait en quittant l'autoroute pour prendre la route provinciale qui menait à Serenity Gardens. Plus d'une fois dans sa vie elle avait eu de ces pensées, mais elle ne serait jamais passée aux actes. Qu'est-ce qui la différenciait de Madeleine Collard ? Madeleine avait peut-être été abusée, mais elle aussi l'avait été. Psychologiquement du moins…

Kate avait songé à cet instant combien l'intervention de Marquise Létourneau avait été salutaire dans sa vie. Si ce n'avait été du sergent-chef Brodeur qui, par pure vengeance, l'avait contrainte à consulter la psychiatre, elle n'en serait pas où elle en était maintenant. Prête à commencer à vivre…

Kate avait souri en songeant à quel point elle avait résisté à Marquise Létourneau et combien, à présent, elle lui était reconnaissante de ses efforts constants pour la toucher.

— Vous avez enfin choisi de lâcher prise, lui avait-elle dit plus tôt.

— Je crois que je peux, parce que je fais la différence entre lâcher prise et pardonner.

— Expliquez-vous, avait demandé la psychiatre, qui comprenait mais voulait que Kate explore la question.

— Pour moi…, avait commencé Kate, pardonner voulait dire oublier le mal que mon père nous a fait… à moi, à ma mère, à mon frère.

Kate avait regardé la thérapeute droit dans les yeux.

— Je ne pourrai jamais lui pardonner. Pour moi, ce serait le décharger de la responsabilité de son crime. Mais je peux lâcher prise, avait-elle ajouté. Ne pas laisser le passé interférer avec le présent. Je ne dois pas me pénaliser pour ce que mon père m'a fait. Je ne dois pas laisser ses actes corrompre ma vie. Je ne suis pas coupable. Il l'est.

Marquise avait hoché la tête, puis avait fermé le dossier devant elle.

— On dirait que vous avez de moins en moins besoin de moi, avait-elle dit en souriant. Je savais que vous étiez près du but. Vous avez trébuché, certes…

Kate avait rougi. Elle savait que le docteur faisait allusion à son épisode dans le stationnement. Sans compter ses cuites…

— … mais vous avez su vous relever.

Non seulement je sais me relever, songeait-elle maintenant en pénétrant dans le stationnement du centre, mais je sais marcher sans tomber.

À cette pensée, Kate avait souri. Contente, comme l'enfant qui réussit ses premiers pas. Puis, elle avait sourcillé. Le temps n'était pas aux réjouissances. Le tueur aux pentacles n'était toujours pas appréhendé...

— Même si elle habite près du centre, Madeleine Collard rend rarement visite à sa fille, avait répondu le Dr Pelland à la question de Kate quelques minutes plus tard. Il lui arrive même de ne pas se présenter pendant deux ou trois semaines.

— Quand l'avez-vous vu la dernière fois ?

La psychiatre avait cillé.

— Qu'est-ce qu'il y a ? avait insisté Kate.

— Elle était ici, plus tôt... Elle a fait une vilaine crise d'angoisse.

Kate regardait la psychiatre sans comprendre où elle voulait en venir.

— Madeleine Collard m'a donné une explication à sa crise, mais j'ai quand même pensé qu'elle ferait mieux de consulter quelqu'un. Elle semblait... instable.

— Et Élisabeth ?

— La crise l'avait effrayée, mais à part ça, elle semblait dans son état normal.

— C'est vous qui la traitez, et non le Dr Thérien, si je ne me trompe ?

— Effectivement, je suis son médecin traitant, mais Élisabeth faisant partie du protocole de recherche, elle était aussi en contact avec le Dr Thérien.

— Vraiment..., avait dit Kate, que cette information dérangeait. Avec le Dr Thérien ?

Diane Pelland l'avait regardée étrangement.

— À l'ouverture du centre... au départ de l'étude, avait-elle précisé, nous avons eu un problème avec Madeleine Collard. Quand elle a appris que le Dr Thérien traiterait aussi sa fille, elle a failli la retirer du centre. Ce n'est qu'après l'avoir assurée que je superviserais le travail du Dr Thérien en tout temps qu'elle s'était calmée et avait entendu raison. La chose m'avait presque amusée puisque tous les parents des jeunes patients n'en avaient habituellement que pour le bon Dr Thérien.

Voilà qui est mieux, avait songé Kate, qui avait craint qu'encore une fois leur hypothèse tombe à l'eau.

— C'est pour vous, avait dit le Dr Pelland qui avait répondu à la sonnerie de l'interphone. Ligne 1…

Kate avait pris le récepteur et pressé le bouton approprié.

— McDougall…

C'était Labonté qui appelait pour lui donner un compte rendu des recherches qu'il avait faites avec Jolicœur.

Il y avait effectivement eu des soupçons entourant la mort du jeune Collard. Les enquêteurs de l'époque n'étaient pas parvenus à prouver sans l'ombre d'un doute qu'il s'agissait d'un accident ; certains détails, l'état dépressif du jeune homme et l'emplacement mal choisi pour une baignade, avaient laissé croire qu'il pouvait s'agir d'un suicide. Cependant, les enquêteurs n'ayant pu conclure à l'une ou à l'autre des options, les circonstances de la mort avaient finalement été classées comme « indéterminées ».

— Très bien, avait dit Kate. Vous avez des nouvelles du mandat ?

— J'ai parlé à Todd, avait dit Labonté. En ajoutant nos informations aux siennes, il est parvenu à convaincre un juge d'en émettre un. Il est parti le prendre. On doit se rencontrer à la résidence Collard.

— Très bien. Je vous rejoins là.

Puis elle avait raccroché.

— Avez-vous connu le fils Collard ? avait demandé Kate à la psychiatre tout de suite après.

— Non, je n'étais pas dans la région à cette époque, avait répondu le docteur, visiblement au courant de l'accident.

— Vous connaissez donc les doutes entourant…

— Vous parlez de la théorie du suicide ? avait dit le docteur, mordant à l'hameçon.

— Oui…

— Claude Thérien m'a toujours affirmé qu'il ne croyait pas à cette hypothèse. Luc Collard avait fait une grave dépression à l'adolescence…

— Il n'était pas schizophrène ?

— Oh, non… Il avait fait une dépression liée à son orientation sexuelle. Ou devrais-je dire à son incapacité à assumer son identité. Claude Thérien l'avait traité à ce moment et il n'avait pas fait de rechute depuis. Lorsqu'il est mort, il venait d'avoir trente ans et cela l'avait affecté plus que la normale, mais, selon Thérien, il n'était pas en dépression et n'avait pas de tendance suicidaire. Évidemment, Madeleine Collard ne l'a jamais cru. Son fils s'était suicidé et le Dr Thérien n'avait rien fait pour l'aider.

— Vous croyez que le docteur avait raison ?

Diane Pelland avait hésité avant de répondre.

— Comprenez-moi… Le Dr Thérien était un psychiatre hors de l'ordinaire. Un visionnaire. Mais il avait aussi le genre de certitude qui vient avec ces qualités… La certitude d'avoir raison.

Kate n'avait rien ajouté, convaincue que la femme n'avait pas terminé.

— Je n'étais pas là au moment de la mort du garçon, avait finalement poursuivi le docteur, mais Claude Thérien m'avait donné à consulter le dossier de Luc, lors des événements avec Madeleine Collard, et…

— Et ?

— Et je me demande s'il n'avait pas manqué d'intuition… Certains comportements du jeune homme portés au dossier auraient pu suggérer une dépression… Mais je n'étais pas là. Et surtout, je n'ai jamais rencontré Luc Collard. Alors…

Kate avait hoché la tête. Si le Dr Pelland avait été capable d'envisager un suicide… Il était facile de déduire que Madeleine Collard y avait cru.

— Vous savez, avait continué la psychiatre en réfléchissant tout haut, Luc Collard était peut-être légèrement dépressif… et Claude Thérien aurait ainsi eu raison de ne pas s'inquiéter outre mesure. Il y a des degrés dans la maladie mentale…

Kate avait froncé les sourcils.

— Par exemple, Élisabeth est bel et bien schizophrène, mais elle est *borderline*. Elle est en rémission depuis sa crise initiale et les chances sont bonnes pour qu'elle n'en refasse jamais. Du moins, si elle se garde à l'abri des situations stressantes…

— C'est une enfant brillante, avait déclaré Kate.

— Vous avez remarqué ? avait dit la psychiatre avec un sourire.

Kate avait songé que c'était la première fois qu'elle voyait cette femme sourire. Elle est capable d'empathie, après tout, avait pensé Kate.

— Élisabeth…, avait commencé Diane Pelland, dont le sourire ne quittait plus le visage, m'a posé la plus étrange des questions après le départ de sa mère…

— Ah oui ? avait dit Kate, curieuse.

— Elle m'a demandé si je savais à quoi servaient les pentacles.

Kate avait blanchi. Elle revoyait le dessin dans la terre… C'était bien un pentacle que la petite avait dessiné.

— Où est-elle ? avait demandé Kate aussitôt, consciente du danger que pouvait courir la jeune fille.

— Élisabeth ? Je ne sais pas. Je vais m'informer.

La psychiatre avait composé le numéro du poste de garde. Après avoir pris les informations, elle avait raccroché et regardé Kate. Un pli entre les sourcils.

— Je croyais, lorsque je m'entretenais avec Élisabeth plus tôt, que Madeleine Collard avait quitté le centre, mais il semble qu'il n'en était rien. Elle était toujours là.

— Elles sont donc ici ? avait demandé Kate vivement.

— J'ai peur que non, avait dit la thérapeute, navrée. Madeleine Collard a quitté le centre en compagnie de sa fille, il y a près d'une heure.

— Pour aller où ?

Diane Pelland avait secoué la tête.

— À leur maison… je crois.

73

Pour Élisabeth, dont les visites de sa mère au centre se faisaient de plus en plus rares, la surprise avait été de taille quand elle lui avait annoncé qu'elles allaient faire une promenade en voiture. Deux activités le même jour ! Quiconque aurait vu la joie sur le visage de la petite aurait été bouleversé. Ça n'avait pas été le cas de Madeleine. Elle avait souri mécaniquement et avait empoigné sa fille par le bras pour l'amener jusqu'à sa voiture.

— Où va-t-on ? avait demandé Élisabeth, qui, bien qu'heureuse de l'intérêt soudain que lui portait sa mère, n'aimait pas quitter la sécurité du centre.

— Faire un tour à la maison, avait répondu Madeleine sans donner plus de détail.

Le fait est que Madeleine ne savait pas vraiment où elles allaient. Elle agissait sous l'emprise de la panique depuis son épisode d'angoisse dans les toilettes et n'avait aucun plan. Du moins bien défini. Elle savait cependant qu'il était impératif qu'elle tire au clair l'histoire des pentacles. Pour le reste...

— Pour le reste, je verrai en temps et lieu, avait-elle murmuré sans s'en rendre compte.

— Tu verras quoi ? avait demandé Élisabeth, mal à l'aise.

Contrairement aux autres mineurs qui résidaient au centre, Élisabeth n'avait jamais eu envie de rentrer chez elle. Elle ne souhaitait sûrement pas habiter au centre toute sa vie, mais à la maison… elle aurait préféré ne jamais y retourner.

— Tu ne m'as pas répondu, disait maintenant Élisabeth, dont les grands yeux bleus s'élargissaient encore davantage sous l'effet du stress.

Madeleine avait jeté un coup d'œil dans sa direction avant de reporter son regard sur la route.

— Rien, avait-elle dit. Je n'ai rien dit.

Élisabeth avait voulu ouvrir la bouche pour la contredire, mais elle s'était ravisée. La question n'avait plus d'importance maintenant qu'elle voyait où s'engageait la voiture.

— Qu'est-ce qu'on vient faire ici? avait-elle demandé.

Elle ne comprenait pas. Elle savait que sa mère ne raffolait pas des excursions et pourtant elle garait sa voiture en plein milieu de la Bolton Pass…

— Descends de l'auto et cesse de poser des questions, avait dit Madeleine. Tu vas voir…

Élisabeth était descendue de voiture.

C'était la première fois qu'elle se retrouvait dans cet endroit. Elle se sentait très petite dans ce champ bordé de montagnes abruptes, aux flancs rocheux.

— Je… je n'aime pas ça ici. Tu ne veux pas me ramener au centre? avait-elle demandé à sa mère d'une petite voix.

— Tout à l'heure…, avait dit Madeleine Collard, imperméable à la fragilité de sa fille. Je voudrais qu'on discute un peu…

Et elle l'avait de nouveau empoignée par le bras et l'avait conduite au fond du champ, au pied d'une paroi rocheuse, où elle savait que se trouvait un banc de fortune, construit par des randonneurs.

— Assieds-toi, avait-elle ordonné sans ambages.

Élisabeth s'était assise. Pétrifiée par la sauvagerie de la nature autour d'elle, elle restait muette. Attendant la conversation annoncée. Se disant que ce serait bientôt fini et qu'elle pourrait retrouver la quiétude du centre, Toto, et même Pet…

74

Kate n'en doutait plus. Madeleine Collard avait enlevé sa fille. Et Élisabeth était en danger.

Kate avait immédiatement téléphoné à Todd Dawson. Présumant qu'il devait être sur le point d'arriver à la résidence Collard avec le mandat, elle voulait le prévenir de la situation. Au cas où la mère et la fille s'y trouveraient...

Personne n'ayant répondu à leurs demandes répétées d'ouvrir, Todd, accompagné des sergents Labonté et Jolicœur, avait crocheté la serrure de la maison. Ils venaient d'y pénétrer quand Kate avait appelé.

— On n'a pas encore fouillé la maison, mais elle semble vide. Et il n'y a pas de voiture dans l'allée...

Kate lui avait rappelé d'être prudent et répété qu'elle serait là dans quelques minutes, avant de raccrocher. Par prudence, au cas où la mère et la fille ne se pointeraient pas à la maison, elle avait aussitôt lancé un avis de recherche les décrivant, donnant la marque de la voiture et précisant qu'Élisabeth Collard était peut-être en danger. Puis elle était retournée voir la psychiatre dans son bureau et lui avait, cette fois, expliqué toute la situation.

— Madeleine Collard serait responsable de la mort de Claude, avait répété Diane Pelland, ébahie par la nouvelle.

— Je sais que vous ne la traitez pas..., avait insisté Kate, mais croyez-vous qu'elle pourrait faire du mal à sa fille ?

La femme avait incliné la tête en réfléchissant, pesant le pour et le contre.

— Je ne peux qu'émettre des hypothèses..., avait-elle dit pour se protéger.

— Je comprends...

— À vrai dire, le détachement de Madeleine Collard à l'égard de sa fille m'a toujours... agacée.

— Agacée ? avait demandé Kate, étonnée par le mot.

— Oui... C'est bête, mais j'avais mis son comportement sur le compte de l'égocentrisme. Vous savez... « Je suis la victime de la maladie de ma fille... Je suis bien à plaindre... » Ce comportement n'est pas monnaie courante, mais malheureusement il existe. Le cas d'Élisabeth n'étant pas des plus lourds, il était difficile de comprendre pourquoi cette femme agissait de cette façon si ce n'est par égocentrisme.

— J'ai cru comprendre qu'elle n'était pas appréciée des résidents, avait avancé Kate en se souvenant des paroles de la mère de Todd.

— Ils avaient sûrement une perception identique à la mienne. Mais maintenant, à la lumière de vos révélations... Il est évident que cette femme est prise dans une spirale. Sa situation s'est dégradée. Elle doit être totalement paniquée...

— Au point de tuer sa fille pour se protéger ? avait questionné Kate.

La psychiatre avait hoché la tête.

— Honnêtement, je suis incapable de vous répondre. Avec ce que je sais... Tout est possible.

Cela n'avait pas rassuré Kate.

Avant de quitter le centre pour aller rejoindre ses enquêteurs, elle avait de nouveau essayé de joindre Trudel.

Peine perdue, il restait introuvable. Elle avait alors eu l'idée de téléphoner à Sylvio.

— Branchini, avait-il répondu avec agacement.

— C'est Kate. Tu es dans le jus ?

— Oui, mais j'ai toujours du temps pour toi, avait aussitôt déclaré Sylvio, adouci.

— Aurais-tu vu Paul par hasard ? avait-elle demandé. Je le cherche depuis ce matin et il n'est pas joignable.

Sylvio était resté silencieux au bout du fil.

— Quoi ? avait demandé Kate, alarmée.

— Kate… je croyais que tu m'appelais pour cette raison…

— Quelle raison ?

— Paul est à l'hôpital avec Julie. Elle a eu un problème avec le bébé…

75

De la fenêtre du onzième étage, Paul regardait la circulation sur le boulevard plus bas. Cela faisait maintenant près de vingt-quatre heures qu'il était dans cette chambre d'hôpital à se demander pourquoi il avait été aussi lâche.

— Paul..., avait murmuré faiblement Julie de son lit.

Il s'était tourné vers elle.

— Tu es réveillée, avait-il dit en s'approchant et en lui prenant tendrement la main.

Puis Julie s'était mise à pleurer. Elle a deviné, avait pensé Paul.

— Ils l'ont enlevé de mon ventre, avait-elle finalement balbutié. Ils m'ont enlevé mon bébé.

Paul avait fermé les yeux. C'était bête, il le savait, mais il se sentait coupable. Comme si son incapacité à assumer totalement l'enfant l'avait tué dans l'œuf.

— Madame Saint-Pierre, avait commencé le médecin qui, à ce moment, était entré dans la chambre et s'était approché du lit. Vous l'avez échappé belle...

— Mon bébé..., avait alors dit Julie.

Le médecin avait regardé Paul, qui avait aussitôt choisi de quitter le chevet de sa compagne, laissant comprendre au médecin qu'il ne l'avait pas encore informée.

— Vous n'aviez pas de bébé, avait annoncé le médecin à Julie. Du moins pas de fœtus viable. Vous faisiez une grossesse ectopique. L'œuf se développait hors de l'utérus.

Sous le choc, Julie n'avait pas prononcé un mot.

— Vous auriez pu mourir. Mais à présent, tout est rentré dans l'ordre. Vous avez été chanceuse que votre organisme le rejette...

Les larmes avaient commencé à couler, une à une, sur le visage de Julie.

Le médecin l'avait regardée avec compassion – que faire de plus ? – puis avait pris les signes vitaux de la jeune femme, ajusté le débit de ses perfusions, consignés quelques informations dans son dossier et quitté la chambre en lui promettant de revenir plus tard dans la journée.

Pendant tout ce temps, Paul avait gardé son regard fixé sur la fenêtre.

— Ce n'est pas ta faute, avait dit Julie au bout d'un moment, délaissant sa propre douleur.

Les épaules de Paul étaient alors retombées et son corps avait été secoué de tremblements.

— Je ne peux pas aller jusqu'à toi, avait-elle enchaîné avec douceur. Il va falloir que tu viennes à moi...

— Je le voulais, avait-il murmuré.

Puis Julie avait entendu un sanglot.

— Viens...

— Je sais maintenant que je le voulais vraiment, avait-il ajouté.

— Viens près de moi...

Paul s'était finalement approché du lit et elle lui avait fait signe de s'allonger près d'elle. Ils étaient restés silencieux un long moment, flanc contre flanc. Puis Julie avait parlé.

— Pas maintenant, parce que je vais pleurer encore quelque temps, avait-elle dit avec un mince sourire, mais bientôt… parce que tu sais maintenant… Nous devrons essayer de nouveau. Qu'il ne soit pas un accident comme celui-là…

Paul l'avait regardée avec tendresse.

Comment pouvait-elle être aussi jeune et aussi sage à la fois ?

76

Élisabeth avait été obligée de tout avouer. Elle avait long-temps louvoyé, mais les questions répétées de sa mère avaient eu raison de sa volonté. Elle voulait en finir et retourner au centre. Sa mère l'inquiétait de plus en plus et, avec le soleil qui déclinait, la peur d'être toujours dans cet endroit à la tombée de la nuit augmentait son niveau de stress déjà trop élevé. Elle lui avait donc révélé d'où elle connaissait les pentacles.

— J'étais cachée derrière un arbre, dans le bois à l'ar-rière du centre, avait-elle avoué. Je vous ai vus, cet hor-rible monsieur et toi, vous vous exerciez à dessiner des pentacles sur le sol.

Madeleine avait aussitôt maudit le jour où elle avait accepté de faire une sortie avec Rick Éthier. Il se plai-gnait constamment qu'ils ne faisaient jamais rien ensem-ble «comme les autres couples» et avait même fini par menacer de mettre un terme à leur relation. Tout ce qu'elle avait trouvé sur le coup pour le faire taire, c'était lui don-ner rendez-vous près de la rivière, dans le bois à l'arrière du centre. Pour une «excursion en amoureux», avait-elle dit pour l'amadouer. Et elle avait réussi. L'expérience avait toutefois été pénible à souhait. Cependant, les com-primés qu'elle avait pris soin d'avaler lui avaient permis d'éviter l'inévitable crise d'angoisse et de subir, sans trop de dégoût, les assauts « amoureux » d'Éthier.

Elle croyait toutefois que personne ne les avait vus…

— Je sais que ce n'est pas bien d'espionner les gens, avait ajouté Élisabeth. J'avais peur d'être punie si je te disais la vérité…

À son grand étonnement, Madeleine avait ri. Un rire un peu faux, un peu exagéré, mais un rire tout de même. Et la petite avait pu se détendre.

Quelle ironie, avait songé Madeleine en riant. Sa fille avait peur d'être punie en disant la vérité, mais la vérité risquait de la tuer…

— Oh, mon Dieu, avait murmuré Madeleine, prenant conscience de ce qu'elle venait de penser.

— Qu'est-ce qu'il y a? avait aussitôt demandé Élisabeth. Pourquoi on ne retourne pas au centre?

Madeleine l'avait fixée sans rien dire et Élisabeth avait frémi.

— Tu ne ferais pas mieux de prendre tes comprimés? avait demandé Élisabeth, un soupçon de panique dans la voix.

Madeleine Collard n'avait pas répondu. Elle cherchait une solution à son problème. C'est elle ou moi, ne cessait-elle de se répéter. Elle ou moi…

77

Madeleine Collard avait habité le même bungalow toute sa vie. La construction de brique rose, un de ces champignons vénéneux qui avaient poussé dans la campagne québécoise dans les années soixante, avait un grand besoin de travaux de réfection. Les fenêtres de bois pourrissaient et le toit semblait sur le point de s'effondrer tellement il ondulait. L'endroit était déprimant à souhait et quand on pénétrait à l'intérieur, c'était encore pire.

Les fenêtres juchées trop haut, typiques de ce genre de construction, laissaient passer très peu de lumière. L'endroit était d'autant plus sombre que les murs étaient ornés d'une tapisserie brune et ocre et la moquette épaisse et bouclée qui recouvrait tous les sols était mordorée, un autre hommage au mauvais goût des années soixante.

— Jésus-Christ! s'était exclamé Jolicœur en pénétrant plus tôt dans la maison. On dirait un musée!

Kate, qui venait d'arriver, n'avait pas été loin de faire la même réflexion.

— Incroyable…, avait dit Todd. As-tu vu la quantité de cadres sur les murs? Et ils contiennent tous la photo d'un seul garçon.

— Probablement son fils, avait dit Kate.

— Pas de photos de la fille, ni du mari, avait confirmé Labonté, qui revenait vers l'entrée après avoir fait le tour de toutes les pièces. Cette femme était véritablement très attachée à son fils… Et très peu à son mari et à sa fille.

En entendant Labonté, Kate avait pensé à Julie et à Paul. La question de l'attachement ne se poserait pas pour eux. Il n'y avait plus d'enfant auquel s'attacher. Et cette pensée l'avait attristée. À son grand étonnement.

Une fois le survol des pièces terminé, les enquêteurs avaient conclu que Madeleine et sa fille ne s'y trouvaient pas. Pas encore du moins… Car rien n'indiquait qu'elles n'allaient pas arriver d'un moment à l'autre. Elles avaient pu aller faire des courses, s'arrêter pour une glace…

Kate y croyait de moins en moins, mais elle ne voulait pas prendre de risque. Elle avait donc fait déplacer les voitures de service et posté un agent à l'entrée de la rue pour les avertir si elles se pointaient.

En attendant, ils allaient s'atteler à chercher des preuves de la culpabilité de Madeleine Collard. Kate, qui avait décidé de laisser les pièces du rez-de-chaussée aux sergents Labonté et Jolicœur, s'était attaquée au sous-sol avec Todd.

À l'image du reste du reste de la maison, l'endroit était sombre et son décor désuet. On y accédait par un petit escalier qui ouvrait sur une pièce dont le sol était fait de marqueterie bon marché et les murs recouverts de planches d'aggloméré, au fini « faux bois ». Au fond de la pièce, à droite, il y avait un bar. Celui-là même qu'on retrouvait dans toutes les constructions de cette époque. Todd avait demandé pourquoi un jour quelqu'un avait eu l'idée d'inclure un bar dans une maison…

— Un alcoolique sûrement, avait conclu Kate.

Après avoir soulevé tous les objets, ouvert tous les tiroirs, tâté tous les coussins, ils avaient été obligés de se rendre à l'évidence : leur exploration de la pièce principale ne donnait rien. Il n'y avait rien là qui pouvait incriminer Madeleine Collard. Du moins, pour autre chose qu'une faute de goût.

Ils étaient donc passés à la pièce abritant l'appareil de chauffage central, à laquelle on accédait par une petite porte au pied de l'escalier. Cette fouille leur avait pris peu de temps, puisque la chambre des fournaises ne contenait qu'une boîte à outils, une fournaise sur le point de rendre l'âme et un chauffe-eau tout aussi agonisant. Après avoir fait le tour des appareils et s'être assurés que rien n'avait pu y être camouflé, ils en étaient ressortis avec l'idée d'aller dans la cour arrière voir s'il n'y aurait pas un cabanon ou un garage. En mettant le pied sur la première marche, Kate avait soudain songé que la superficie qu'ils venaient de fouiller était inférieure à celle du rez-de-chaussée. Elle avait alors rebroussé chemin et longé le mur de l'escalier. Elle ne s'était pas trompée. Au bout, sous l'escalier, il y avait une porte.

— *You little fox...*, avait dit Todd.

Elle avait tenté d'ouvrir la porte, mais celle-ci avait résisté. Ils avaient remarqué qu'elle était cadenassée. Todd se souvenant d'avoir vu une pince-monseigneur dans le coffre à outils, il était allé la chercher.

En un tour de main, ils avaient sectionné le cadenas et ouvert la porte.

La pièce qu'ils avaient découverte était encore plus sombre que les autres, quelqu'un ayant recouvert d'une lourde tenture l'unique soupirail à l'extrémité de la pièce. Et non seulement il y faisait noir, mais, à l'odeur de renfermé qui y régnait, il était évident que la pièce ne servait plus depuis longtemps. Todd avait actionné le commutateur pour y voir clair.

C'était une chambre d'enfant. Celle d'un adolescent, plus précisément. Les murs étaient placardés d'affiches. Majoritairement des groupes de rock des années quatre-vingt. Et partout, des photos du fils de Madeleine, adolescent, jouant dans des pièces de théâtre amateur.

La chambre n'étant pas très grande, ils en avaient rapidement fait le tour.

— Pourquoi l'avoir cadenassée ? s'était soudain demandé Kate.

Todd avait haussé les épaules.

Ils avaient fouillé sous les draps et le matelas, regardé dans tous les tiroirs de la commode... Rien. Puis Kate avait ouvert ce qu'elle croyait être la porte de la garde-robe.

Et les pièces manquantes du puzzle lui étaient apparues.

78

En ouvrant la porte du réduit dissimulé dans la chambre cadenassée, Kate et Todd avaient découvert sur la paroi du fond, entre deux bougies pascales posée sur un autel de fortune, l'agrandissement d'une photo de Luc dans son cercueil.

Madeleine Collard avait créé un sanctuaire à la mémoire de son fils.

Sous la photo, déposés telles des offrandes… la notice nécrologique du Dr Thérien, le canif ensanglanté ayant vraisemblablement servi à graver les pentacles sur le front des victimes, le cellulaire d'Arthur et une carabine.

— Pauvre femme, avait murmuré Kate.

— *Check this…*, avait dit Todd en tirant le sac vert qu'il venait de découvrir sous l'autel.

Todd s'était aussitôt ganté et l'avait entrouvert. Le sac contenait des vêtements de pluie, un chapeau, une paire de gants de latex et des bottes… tous tachés de sang. Madeleine Collard ne pourrait assurément pas échapper à la justice.

Alors que Todd faisait l'inventaire du contenu du sac, le regard de Kate avait dérivé sur les murs de chaque côté de l'autel. Partout, des photos de Luc à tout âge. Luc prenant son bain, Luc jouant dans le bac à sable,

Luc souriant, Luc pleurant, Luc courant, Luc mangeant… Chaque moment de sa vie avait été capturé en photo. Chaque émotion figée sur du papier.

Sur plusieurs photos, on pouvait voir le visage de Madeleine. Mais jamais celui de son mari ; il avait été découpé de toutes les photos…

Puis Kate avait posé son regard sur l'extrémité gauche de l'autel, où reposaient de petits objets ayant visiblement appartenu au fils de Madeleine. Un hochet, une voiture miniature, une médaille, un diplôme d'études secondaires, un pentacle pendu au bout d'un lacet…

— Tu crois qu'il faisait partie d'une secte ? avait demandé Todd, qui avait délaissé le sac de plastique et examinait maintenant le pendentif.

— Non… J'en doute. Plutôt une passade à l'adolescence. Alors qu'il cherchait son identité…

— *You know what ?* Je pense que Madeleine Collard s'est servi des pentacles pour signer les crimes.

— *Could be*, avait répondu Kate distraitement.

— Tout en brouillant les pistes, elle signait au nom de son fils. On ne peut pas dire que Madeleine Collard n'était pas intelligente…

Voyant qu'elle ne réagissait pas à son commentaire, Todd l'avait cherchée du regard.

— *What the f…*, avait-il commencé.

Intriguée par une petite boîte trouvée dans un coin du placard Kate l'avait ouverte. À l'intérieur, pêle-mêle, des photos de Madeleine à différents âges, prises dans des positions dégradantes, ses yeux brouillés de larmes. Sa honte était palpable. Son mari avait vraisemblablement été un « artiste » de l'abus.

Kate avait été partagée entre l'envie de tout saccager et celle de pleurer.

— *Shit ! Shit ! Shit !* avait dit et redit Kate, révoltée. Où il est, Dieu, quand on en a besoin ?

Todd n'avait su que répondre. L'enfer qu'avait vécu cette femme dépassait sa compréhension Si elle avait tout misé sur son fils, comme il le croyait maintenant, il comprenait pourquoi elle avait voulu venger sa mort...

C'est à ce moment qu'ils avaient reçu un appel de la centrale leur indiquant que la voiture de Madeleine Collard avait été repérée dans la Bolton Pass. Exactement à l'endroit où les crimes avaient été commis.

Kate et Todd avaient aussitôt pris la route du défilé, laissant à Labonté et à Jolicœur le soin de finir la fouille de la maison.

— Je ne me suis pas aventuré dans le champ, avait aussitôt dit le sergent Yvon alors que Todd et Kate approchaient de son véhicule. Comme je n'apercevais personne autour de la voiture de la fugitive, j'ai préféré attendre votre arrivée. Pour savoir comment vous entendiez procéder...

Kate s'était posé la même question en se rendant sur les lieux. Pas de doute, Madeleine Collard était à bout. Et ce qu'ils avaient découvert leur avait fait comprendre que cette femme avait souffert au-delà de la raison...

— Kate ? demandait maintenant Todd. Il fera noir dans peu de temps. Si nous voulons les retrouver avant la nuit...

Kate s'était massé le front.

— Sergent Yvon, appelez la centrale. Dites-leur d'envoyer tout le personnel disponible. Pendant ce temps, le sergent Dawson et moi allons entamer les recherches.

Le sergent avait obtempéré sur-le-champ. Quant à Kate et Todd, ils avaient commencé à quadriller le terrain, espérant, à chaque pas, ne pas tomber sur le cadavre d'Élisabeth.

79

Quand Madeleine avait entendu la voiture de patrouille, elle avait agrippé Élisabeth et l'avait entraînée en direction du sentier pédestre. Élisabeth avait bien tenté de résister, mais sa mère, qui lui tenait solidement le bras, l'avait tirée sans ménagement.

Élisabeth ne comprenait pas ce qui se passait. Comment aurait-elle pu ? À quel moment un enfant comprend-il que son parent lui veut du mal ? Quand se rend-il enfin compte que rien n'est sa faute ? Et que cette approbation, cet amour qu'il cherche, ne sera jamais au rendez-vous ?

— Je veux retourner au centre, pleurnichait maintenant Élisabeth. Je ne comprends pas pourquoi on va plus loin dans la forêt… Il va faire noir bientôt.

— Tais-toi ! avait ordonné Madeleine Collard en continuant péniblement de l'entraîner. C'est pour toi que je fais ça.

Elles avaient poursuivi leur ascension pendant près de trente minutes et étaient finalement arrivées sur un éperon rocheux dominant la vallée. Madeleine avait alors relâché sa fille et s'était affalée sur le roc.

— Maman ! avait crié Élisabeth. Maman, tu me fais peur…

Avec effort, Madeleine Collard était parvenue à se traîner et à s'adosser contre une paroi rocheuse.

Il faisait maintenant presque nuit. Debout sur l'éperon, Élisabeth pleurait et regardait partout autour d'elle comme un oiseau apeuré. Elle avait faim et froid. Ses souliers de course étaient trempés par la rosée abondante du printemps. Les arbres projetaient leurs ombres géantes, comme des bouches prêtes à l'avaler.

— Viens près de moi, avait murmuré Madeleine Collard. On va les attendre ici...

Élisabeth était tétanisée. Elle ne savait qui des ombres géantes ou de sa mère elle devait avoir le plus peur. Car sa mère n'avait jamais montré d'affection à son égard et il était étrange qu'elle sollicite maintenant sa présence à ses côtés.

— N'aie pas peur...

Les yeux bleu marine de terreur, Élisabeth regardait à droite et à gauche, comme si la réponse s'y trouvait. Mais il n'y avait pas de réponse. Elle était en pleine forêt, la nuit tombait et elle n'avait que sa mère pour la protéger...

Résignée, elle était allée s'asseoir aux côtés de sa mère.

Madeleine Collard l'avait alors prise par la taille et serrée contre elle.

— Pardon, avait-elle murmuré. Pardon...

80

Arrivés au fond du champ, au pied de la paroi rocheuse, Kate et Todd avaient tout de suite vu les traces fraîches menant au sentier pédestre.

Kate, qui avait pris soin d'apporter un walkie-talkie, s'entretenait avec le sergent Yvon, demeuré au bord de la route, lui indiquant que Todd et elle s'apprêtaient à poursuivre la piste.

— Tant qu'elles suivront le sentier, vous pourrez y aller, avait dit le sergent qui avait l'habitude de l'endroit. Mais ne vous aventurez pas hors du sentier...

— O. K., avait répondu Kate.

Puis elle avait coupé la communication et allumé sa lampe de poche.

— Prêt ? avait-elle demandé à Todd.

— *Watching your back*, lui avait-il répondu ce en allumant à son tour.

Ils avaient avancé en silence, pointant leurs torches électriques sur le sol et le chemin devant eux, car ils devaient constamment s'assurer que la mère et la fille n'avaient pas quitté le sentier.

Celui-ci, ils le savaient, s'étirait sur plusieurs kilomètres dans la montagne. Comme ils ignoraient à quel moment Madeleine et sa fille s'y étaient aventurées, ils n'avaient aucune idée du temps durerait leur expédition. Et si même ils les retrouveraient jamais.

En arrivant sur l'éperon rocheux trente minutes plus tard, ils avaient cependant obtenu leur réponse.

Appuyées contre la paroi rocheuse, la mère et la fille, lovées dans les bras l'une de l'autre, semblaient dormir.

— Élisabeth…, avait murmuré Kate, qui craignait le pire.

Avec précaution, son arme dégainée, prêt à maîtriser la suspecte, Todd s'était approché de Madeleine et l'avait poussée du pied. Aucune réaction.

Kate le regardait faire sans un mot, son arme pointée sur Madeleine Collard. Elle n'arrivait pas à se défaire de l'idée qu'un autre enfant était mort sans qu'elle puisse le sauver…

Convaincu que la femme était morte, Todd avait rengainé son arme et posé deux doigts sur la carotide de celle-ci pour s'en assurer.

— *She's alive!* avait-il crié, surpris.

Kate s'était aussitôt précipitée sur la petite et l'avait secouée.

— Kat ? avait demandé Élisabeth en ouvrant les yeux. C'est toi ?

Kate avait alors arraché l'enfant des bras de sa mère et l'avait serrée contre son cœur.

— Oui, mon poussin, c'est moi. C'est moi…

— Maman…, avait dit Élisabeth en commençant à pleurer, elle a pris trop de médicaments, je crois. Tu penses qu'elle va mourir ?

Kate n'avait pas répondu, mais elle l'avait serrée encore plus fort dans ses bras.

Épilogue

Assise au bout du quai, les pieds dans l'eau, Kate réfléchissait aux derniers mois de sa vie.

Madeleine Collard n'avait pas survécu aux médicaments. Son cœur avait cessé de battre bien avant que les secours n'arrivent. Mais elle avait réussi une chose avant de mourir. Elle avait aimé sa fille. Suffisamment pour se donner la mort.

Après l'autopsie, les enquêteurs avaient finalement compris pourquoi Madeleine Collard avait grimpé dans la montagne. Le temps qu'elle avait mis à escalader le sentier avait été suffisant pour que les médicaments fassent effet. Elle voulait mourir avant que les secours n'arrivent...

Avec la mort de Madeleine Collard, l'Escouade des crimes violents qui, contre toute attente, était devenue une division permanente de la SQ, avait finalement pu fermer le dossier de l'affaire des pentacles.

Pour Kate, cependant, commençait une nouvelle aventure.

— La dernière à l'eau est une poule mouillée !

Kate avait éclaté de rire. En moins d'une seconde, Élisabeth avait dévalé les marches menant au quai et plongé dans le lac. Elle s'amusait maintenant à se laisser flotter, ses longs cheveux noirs auréolant son visage, ondulant comme une méduse...

Pendant un bref instant, Kate avait revu le cadavre de la jeune fille flottant à la dérive sur le lac, quelque trois années plus tôt. Comme Élisabeth, elle avait les bras en croix...

Kate avait plongé dans le lac. Abandonnant le passé au passé, rattrapant Élisabeth qui s'éloignait présentement vers le large. Elles avaient ce même goût de l'eau. Et Kate avait été heureuse de le découvrir quand elle l'avait amenée chez elle la première fois.

Elles nageaient maintenant côte à côte. Fendant vigoureusement la surface du lac de leurs bras, plongeant et émergeant sans cesse de l'eau froide. Jouissant du contact de l'eau, partageant la même matrice salvatrice.

— Les voilà ! avait soudain crié Élisabeth entre deux brasses.

Kate et la jeune fille avaient aussitôt nagé en direction de la rive et Élisabeth s'était élancée à la course dans l'escalier menant au chalet.

Kate ne l'avait pas suivie. Elle était restée sur le quai à observer les nouveaux arrivants.

En haut sur le cap, Élisabeth s'élançait simultanément dans les bras d'Arthur et de Mary. Ainsi liés, ils formaient le plus invraisemblable des trios. Mais un trio heureux, avait songé Kate. Et elle avait souri en leur faisant signe de la main.

— *You look like a mermaid*, lui avait crié Emma Dawson en arrivant, peu de temps après, avec son fils.

— *And you like a baby*, avait rétorqué Kate au grand plaisir de la vieille femme.

Todd, comme toujours, s'était contenté d'un haussement d'épaules.

Puis, Sylvio et ses enfants étaient arrivés.

— *Carissimissima !* avait lancé Sylvio en l'apercevant sur le quai, un large sourire aux lèvres.

— Attends ! Quand tu verras le travail que je te réserve, je ne te serai plus si « chère », avait rétorqué Kate, souriant, elle aussi, à belles dents.

Sylvio avait ri et l'avait délaissée le temps de couvrir Élisabeth de baisers, alors que Marco, Isabella et Victoria faisaient connaissance avec le reste du groupe.

Marquise Létourneau avait raison, songeait maintenant Kate, l'œil attendri, en les regardant s'activer autour de la grande table. La famille peut prendre différentes formes…

Et elle était montée les rejoindre.

Remerciements

Merci à Monique H. Messier pour son écoute et son talent.

Merci à Johanne Guay, André Bastien et Jean Baril pour leur indéfectible soutien, ainsi qu'à tout le personnel de Libre Expression qui accomplit chaque jour un travail de titan.

Merci à Évelyne Saint-Pierre pour ses lumières.

Merci enfin à tous ceux, trop nombreux pour qu'on les nomme, qui, de près ou de loin, ont contribué à la naissance de ce roman.

Comme toujours, il s'agit d'une œuvre de fiction.

Les personnages et les situations sont inventés. J'ai joué avec la toponymie des Cantons-de-l'Est, la hiérarchie et le fonctionnement de la Sûreté du Québec, et j'ai, je l'avoue, cherché la vraisemblance avant la vérité.

Potton, 18 mai 2008

Cet ouvrage a été composé en Times 12/14
et achevé d'imprimer en septembre 2008 sur les presses de
Quebecor World Saint-Romuald, Canada.

Imprimé sur du papier 100 % postconsommation, traité sans chlore,
accrédité Éco-Logo et fait à partir de biogaz.

certifié

procédé
sans
chlore

100 % post-
consommation

archives
permanentes

énergie
biogaz